警察官
Ⅲ類・B 高卒レベル
過去問題集

成美堂出版

今年の傾向を探る！

現内閣と世界の動き

現内閣の政策と動向はつかんでおいてください。また、世界情勢の幅広い知識が必要です。

試験年度より過去１年以内に起きた事柄をまとめる

国内、国外を問わず、起きた事件、開かれた会合、決められた法律などの社会事象は、かならず出題されます。「時事」の幅広い知識が求められています。

一般常識が試される

歴史、地理、文学・芸術など広く社会人としての一般常識が問われます。高校までの復習をしっかりしておきましょう。

統計資料は必須項目

『警察白書』などはかならず目を通しておきましょう。白書の統計から「資料解釈」の問題が多く出題されています。

新聞からキーワードを探す

教養試験には、多くの「時事的」要素が含まれています。新聞やニュースなどを見る習慣をつけましょう。ロシアのウクライナ侵攻やパレスチナ問題などのキーワードは内容をきっちりと把握しておいてください。

この本の使い方

本書は、**警察官Ⅲ類・B（高卒程度）**採用試験で行われる、**教養試験の過去問題集**です。公表されている**過去に実施した問題**と、内容的に是非チャレンジしてもらいたい**予想問題**をあわせて掲載しました。

18科目の問題に挑戦しよう

過去 と 予想 ――問題番号に、**「過去」**と**「予想」**のどちらかのマークが付いています。過去問題、予想問題の区別を確かめてください。

重要度 ――！の数（**1～3**）で、**問題の頻出度や重要度**を表します。問題の出題傾向を探るときに役立ててください。

解答時間 ――**理想的な解答時間の目安**です。

解説 ――解答にいたるまでの流れを端的にわかりやすく説明しています。付属の**赤シートを使って**キーワードなどを隠して覚えましょう。

要点を整理しよう！ ――解説での説明以外に、是非覚えてもらいたい事柄を整理してまとめています。付属の**赤シートを使って**学習の確認をしましょう。

CHECKPOINT ――問題を解くにあたっての重要な解き方のテクニックです。

国語試験と作文試験が実施されるところも

国語試験は一部の自治体で実施されており、作文試験は多くの自治体で実施されています。

国語試験――漢字の読みと書きを抜粋して各８問ずつを掲載しました。

作文試験――**過去に出題されたテーマ２題**を、答案例とともに示しました。巻末の原稿用紙を使って、実際に書いてみてください。

＊本書は原則として2024年８月現在の情報で編集しています。

目次

今年の傾向を探る！ —— 2
この本の使い方 —— 3
採用試験の流れ —— 6

SECTION 1 社会科学 —— 7
1 政治 —— 8
2 経済 —— 22
3 社会 —— 32
社会科学　ココを押さえる —— 42

SECTION 2 人文科学 —— 43
4 日本史 —— 44
5 世界史 —— 56
6 地理 —— 68
7 倫理 —— 80
8 国語 —— 88
9 英語 —— 102
人文科学　ココを押さえる —— 112

SECTION 3 自然科学 ―― 113

10 数学 ―― 114
11 生物 ―― 122
12 化学 ―― 130
13 物理 ―― 138
14 地学 ―― 146
自然科学　ココを押さえる ―― 154

SECTION 4 一般知能 ―― 155

15 文章理解 ―― 156
16 数的処理 ―― 176
17 判断推理 ―― 192
18 資料解釈 ―― 210
一般知能　ココを押さえる ―― 218

国語・作文試験 ―― 219

■ 国語試験 ―― 220
■ 作文試験 ―― 224

採用試験の流れ

警察官Ⅲ類・Bの採用試験の流れを、警視庁（東京都）ほかの例を参考にしてまとめると、次のようになります。

第１次試験

教養試験…………各自治体ともおおむね**50問を80～150分**で行います。
問題は**五肢択一**です。
［一般知識分野］社会科学　人文科学　自然科学
［一般知能分野］文章理解　数的処理　判断推理　資料解釈

↓

作文試験…………与えられたテーマに対して、**600～1000字程度**で作文を書きます。**時間は60～90分程度**です。

↓

国語試験…………自治体によっては、**漢字の読みと書き**の試験があります。
各25問程度で20分くらいの時間が与えられます。

警視庁の場合は、第１次試験において、「第１次適性検査」を実施。

↓

第2次試験

面接試験…………個別面接のところがほとんどですが、一部の自治体では、集団面接や集団討論を実施します。

↓

身体検査…………視力・色覚・聴力検査、レントゲン・血液検査等の精密検査。

↓

適性検査…………マークシート方式や記述式で警察官としての適性を検査します。

↓

体力検査…………腕立て伏せ、バーピーテスト、上体起こし、反復横跳び等。

※試験の流れは、それぞれの自治体により、また、年度により異なります。受験をする際にはかならずご自身で各自治体に確認をとってください。

SECTION 1

社会科学

日本の政治のしくみや日本国憲法、日本の経済情勢や国際経済の基本を、しっかりと身につけてください。
現代社会で起きている事柄に興味をもつことが求められています。

1 政治 ―――――――― 8
2 経済 ―――――――― 22
3 社会 ―――――――― 32

■社会科学 ココ を押さえる ―― 42

SECTION 1 社会科学

1 政治

過去

1 日本国憲法に関する記述として、妥当なものはどれか。

1 前文では、全世界の国民が、ひとしく核の恐怖と被害から免かれ、平和のうちに生存する権利を有することを確認すると明記されている。

2 第7条では、衆議院を解散すること、国会を召集することは天皇の国事行為であり、国会の指名に基づいて、内閣総理大臣・国務大臣を任命することは天皇の任命行為であると明記されている。

3 第12条では、国民に保障する自由及び権利は、国家の不断の努力によって、これを保持しなければならず、国家はこれを濫用してはならないと明記されている。

4 第21条では、集会、結社及び言論、出版その他一切の表現の自由は保障され、検閲をしてはならないと明記されている。

5 第41・42条では、国会は国権の最高機関であって、国の唯一の行政機関であり、国会は衆議院及び参議院でこれを構成すると明記されている。

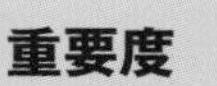	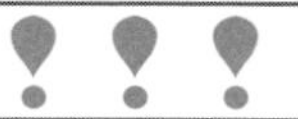	解答時間	3分	正解	4

第21条の「集会・結社・表現の自由、通信の秘密」において、一切の表現の自由が保障されている。

× 1 前文では、「核の恐怖と被害から免かれ」ではなく、「恐怖と欠乏から免かれ」となっている。

× 2 国会の指名に基づいて内閣総理大臣を任命することは、憲法第6条の「天皇の任命権」になる。なお、国務大臣を任命するのは、内閣総理大臣である（憲法第68条）。

× 3 「国家の不断の努力」ではなく、「国民の不断の努力」。「国家はこれを濫用してはならない」ではなく、「国民は、これを濫用してはならない」になる。

○ 4 「通信の秘密は、これを侵してはならない」と続く。

× 5 国会は「国の唯一の行政機関」ではなく、「国の唯一の立法機関」である。国の行政機関は内閣になる。

要点を整理しよう！

●日本国憲法の基本原則を把握しよう

三大原則

1 国民主権（主権在民）…政治の主役は国民であり、政治は選挙によって選ばれた国民の代表者によって行われる。

2 基本的人権の尊重…何人も侵すことのできない永久の権利として保障される。

基本的人権の種類…自由権・平等権・社会権・参政権・請求権のほか、新しい権利として、プライバシーの権利・環境権・知る権利・アクセス権などがある。

3 平和主義…戦争の放棄と戦力の不保持。2014年7月、第2次安倍内閣は憲法第9条の解釈を変更する閣議決定を行った。

過去

2 次のうち、社会的基本権に分類されるものはどれか。

1 裁判を受ける権利
2 刑事補償請求権
3 被疑者及び被告人の権利
4 教育を受ける権利
5 請願権

重要度	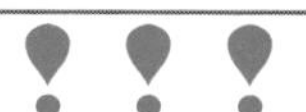	解答時間	2分	正解	4

解説 **教育を受ける権利は、生存権、労働基本権とともに基本的人権のうちの社会権（社会的基本権）に分類される。**

× 1 基本的人権を守るための権利で、請求権のうちの裁判請求権になる。
× 2 抑留・拘禁された後、無罪判決を受けた場合に、国にその補償を請求できる権利で、請求権のひとつ。
× 3 刑事裁判における権利。被疑者は取り調べの際、自分に不利となる供述を強要されない権利（黙秘権）を有する。被告人は公平で迅速な公開裁判を受ける権利（裁判請求権）を有する。
○ 4 社会権とは、人間らしい生活の保障を求める権利をいう。
× 5 請求権のひとつ。国や地方公共団体に希望を述べる権利。参政権に分類されることもある。

CHECKPOINT

●社会権の内容

- 生存権…健康で文化的な最低限度の生活を営む権利
- 教育を受ける権利…能力に応じて等しく教育を受ける権利
- 労働基本権…労働三権～団結権・団体交渉権・団体行動権（争議権）
  勤労の権利

過去

3 内閣が任命するものとして、最も妥当なのはどれか。

1 国家公安委員会委員
2 東京高等裁判所裁判官
3 内閣官房長官
4 衆議院議長
5 内閣総理大臣

重要度	❗❗❗	解答時間	2分	正解	2

解説 **内閣は最高裁判所長官を指名し、最高裁長官以外のすべての裁判官を任命する。**

× 1 国家公安委員会は国務大臣である委員長と5名の委員からなり、委員は内閣総理大臣が衆参両院の同意を得て任命する。国家公安委員会は、警察行政の民主的管理と政治的中立の確保を図ろうとする機関。

○ 2 東京高等裁判所裁判官は、内閣が任命する。指名とは名指しで選出されることで、強制力がある。任命は強制力をもたず、儀礼的なものもある。

× 3 内閣官房長官は内閣総理大臣によって任命される。政府のスポークスマンであり、記者会見を開いている様子が、ニュース等でよく見られる。省庁間の連絡・調整を行う内閣官房の長であり、内閣総理大臣の信頼の厚い人物が務めることが多い。

× 4 衆議院議長は衆議院内の選挙によって選出される。与党第一党から選ばれるのが慣例である。

× 5 内閣総理大臣の指名は国会の権限である。これに基づき天皇が任命する。衆議院と参議院が異なる議決を行い、両院協議会を開いても意見の一致が得られないときは、衆議院の指名の議決が国会の議決となる(衆議院の優越)。

4 ヨーロッパの政治制度に関する次のA～Eの記述のうち、正しいものをすべて選んだ組合わせとして、最も妥当なのはどれか。

A イギリスでは議院内閣制が採用されており、議会の議員による選挙によって内閣総理大臣が選出され、内閣を組織する。

B イギリスでは、与党が内閣不信任に備えて予備の内閣を組織することが慣例となっており、これを「影の内閣」（シャドー・キャビネット）と呼ぶ。

C ドイツやイタリアのように大統領制がとられていても、大統領が議会などにより選出され、内閣が行政の実権をにぎっている場合は議院内閣制に含めることができる。

D フランスでは、小党分立により不安定な政権がつづいたことから、大統領制と議院内閣制を組み合わせた政治体制がとられており、半大統領制と呼ばれている。

E 欧州連合（EU）では、2009年、EU憲法が採択、発効された結果、現在ではEU大統領が選出されている。

1 A、B
2 A、E
3 B、C
4 C、D
5 D、E

重要度	❗❗❗	解答時間	4分	正解	4

イギリスは世界で最も早く市民革命を達成し、議会政治を確立した。イギリスの議院内閣制は世界のモデルとなり、日本も採用している。

× A イギリスでは、議会の下院で多数を得た政党（与党）の党首が、内閣総理大臣（首相）に選出され、他の大臣を与党の国会議員から選ぶ。

× B 与党ではなく、野党。二大政党制であるイギリスでは、第二党である野党が、政権交代に備えて閣僚候補を決め、政策研究などを行う。これを「影の内閣」（シャドー・キャビネット）と呼ぶ。

○ C ドイツとイタリアには、大統領と首相が存在するが、大統領は象徴的・形式的なもので、実質的には議院内閣制である。

○ D フランスでは、大統領は国民からの直接選挙で選ばれ、首相と内閣は議会から選出される。大統領制と議院内閣制の折衷型（半大統領制）。

× E EU憲法案は2005年にフランス、オランダの国民投票で否決された。EU憲法案の内容を改訂したリスボン条約が2009年に発効した。

CHECKPOINT

●議院内閣制と大統領制

議院内閣制…イギリス**が典型。日本も採用。**

- **政党内閣**…下院で多数を得た政党の党首が内閣総理大臣（首相）となり、国務大臣を任命。（日本では衆議院の多数決により首相が選出）
- **責任内閣**…内閣は議会に対して、連帯して政治的責任を負う。
- **内閣は議会の信任により成立**…内閣が政治責任を果たしていないと議会が判断すれば、議会下院は内閣に不信任決議を行うことができる。その場合、内閣は総辞職、もしくは下院を解散して、国民の審判を受ける。

大統領制…アメリカ**が典型。**

- **アメリカ大統領の選出方法**…間接選挙による国民の投票。
- **大統領と議会の関係**…行政府である大統領と立法府である議会は互いに独立。それぞれが選挙民に対して責任を負う。議会は大統領不信任の議決をすることができず、大統領も議会を解散する権限を持たない。

過去

5 核に関する記述として、妥当なものはどれか。

1 1962年に起きたベトナム戦争が、世界を核戦争の淵に立たせたのをきっかけにして、アメリカとソ連は緊張を緩和する努力をはじめた。

2 IAEAは、原子力の平和利用を促進し、軍事的利用を未然に防止するために設立された国際協力機構である。

3 「核抑止論」とは、核を保有するすべての国が核兵器を廃絶することこそ合理的であるという考え方である。

4 包括的核実験禁止条約（CTBT）は、核保有国を含む44カ国の批准をへて現在発効されている。

5 現在核を保有している国は、アメリカ、ロシア、イギリス、フランス、中国、北朝鮮の6カ国である。

重要度	❗❗❗	解答時間	3分	正解	2

IAEA（国際原子力機関）の目的は、原子力の平和利用の促進である。

× 1 キューバ危機のことをいっている。キューバ危機とは、ソ連がアメリカの近くに位置するキューバに、核ミサイル基地を建設しようとしたことから、米ソの間に核戦争が起こりかけたこと。

○ 2 原子力の核兵器への転用の疑いのある国へ査察を行う。

× 3 「核抑止論」は核兵器を廃絶することではない。核兵器を保有すれば、敵国も簡単には攻撃できないだろうから、戦争を抑えるために、核兵器を保有しようという考えのこと。

× 4 包括的核実験禁止条約（CTBT）は1996（平成８）年に結ばれたが、アメリカをはじめ、中国、インド、パキスタン、北朝鮮などの核保有国、または核保有を宣言している国が未批准である。

× 5 インドとパキスタンも1998年５月に相次いで核実験を行い、核保有国となった。北朝鮮は核保有を宣言しているが、今後、６カ国協議などによって確実に核保有を放棄させられるかが注目される。

要点を整理しよう！

●第二次世界大戦後の核兵器に関連したできごとを整理してみよう

1949年	ソ連が原子爆弾の実験を行う
1953年	ソ連が水素爆弾（水爆）の実験を行う
1962年	キューバ危機
1963年	アメリカ、ソ連、イギリスが部分的核実験禁止条約に署名
1968年	核拡散防止条約（NPT）が締結。フランスが水素爆弾の実験を行う
1984年	アメリカ、ソ連の軍拡競争が過熱。1989年米ソ冷戦の終結
1996年	包括的核実験禁止条約（CTBT）が締結
1998年	インド、パキスタンが核実験を行う
2005年	北朝鮮、核保有を宣言。2006年〜2017年９月の間に６回の核実験を行う
2015年	イラン核合意。イランと米英仏独中ロで締結（2018年、米は離脱）
2021年	核兵器禁止条約（TPNW）が発効

6 内閣及び内閣総理大臣に関する記述として、妥当なものはどれか。

1 内閣総理大臣が主宰する閣議は多数決制をとっており、閣議に基づいて行政権を行使する。

2 閣僚は、どのような案件でも提出して閣議を求めることができる。閣議の内容については公開が原則である。

3 外交関係の処理、財政統制と予算決議、法律の執行と国家の政務の統括・管理などを行うことは内閣の職務である。

4 内閣総理大臣は、「同輩中の主席」として、その他の国務大臣と同様に国会議員の中から国会の議決によって指名される。

5 衆議院議員選挙の後に初めて国会の召集があったとき、内閣は総辞職しなければならない。

重要度	❗❗❗	解答時間	3分	正解	5

解説 **内閣が総辞職するのは、内閣総理大臣が欠けた場合、衆議院の内閣不信任決議から10日以内に衆議院が解散されない場合、衆議院議員選挙後、初の国会召集があった場合の3つである。**

× 1 多数決制ではなく、閣僚の全員一致を原則としている。
× 2 閣議案件はどのようなものでも提出できるわけではなく、一般案件（国政に関する基本的重要事項等）、国会提出案件、法律・条約の公布、法律案、政令、報告、配布に該当するものである。閣議は非公開。
× 3 予算決議は国会の職務になる。内閣の職務は予算を作成することであり、国会はその予算を決議する。
× 4 内閣総理大臣は国会議員の中から国会の議決で指名されるが、国務大臣は内閣総理大臣によって任命される。但しその過半数は国会議員でなければならない。「同輩中の主（首）席」とは、大日本帝国憲法下の首相の地位を表す表現としてよく用いられた。
○ 5 内閣の総辞職後、両院において内閣総理大臣の指名が行われる。

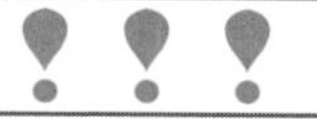

CHECKPOINT

●内閣の職務（日本国憲法第73条）

内閣は、他の一般行政事務の外（ほか）、以下の事務を行う。
1．法律を誠実に執行し、国務を総理すること。
2．外交関係を処理すること。
3．条約を締結すること。（以下略）
4．（前略）官吏（かんり）に関する事務を掌理（しょうり）すること。
5．予算を作成して国会に提出すること。
6．（前略）政令を制定すること。（以下略）
7．大赦、特赦、減刑、刑の執行の免除及び復権を決定すること。

＊内閣は他に、天皇の国事行為への助言と承認・国会の臨時会の召集と参議院の緊急集会の要求・最高裁判所長官の指名と最高裁長官以外の裁判官任命の権限をもつ。

わが国の裁判員制度に関する記述として、妥当なのはどれか。

1 裁判員制度の対象となるのは、民事裁判のみに限られる。

2 裁判員は20歳以上の者の中から抽選で選ばれ、理由がなければ辞退できない。

3 裁判員は第一審のみに関与し、控訴審は裁判官のみで行われる。

4 裁判員には守秘義務が課されるが、違反しても罰則はない。

5 裁判員と裁判官は協同して有罪、無罪の決定のみ行う。

重要度	！！！	解答時間	3分	正解	3

2009（平成21）年に始まった裁判員制度は、国民の中から選ばれた裁判員が、裁判官とともに、被告人の有罪・無罪や有罪の場合の量刑を決めるしくみのことである。

× 1 地方裁判所で行われる刑事裁判が対象となる。対象となるのは、殺人罪、傷害致死罪、身代金目的誘拐罪、危険運転致死傷罪など重大事件の刑事裁判である。

× 2 18歳以上の者。法改正により2022（令和４）年より20歳から18歳に。抽選で選ばれ、正当な理由がなければ辞退できないのは正しい。

○ 3 刑事裁判の控訴審や上告審は裁判員裁判の対象にはならない。また、少年審判も対象にはならない。

× 4 守秘義務に違反した場合、現在裁判員である者、かつて裁判員であった者ともに６か月以下の懲役（2025年６月１日以降は拘禁刑）、または50万円以下の罰金に処せられる。

× 5 有罪か無罪かの決定だけでなく、有罪の場合には、刑の程度も決める（量刑）。

要点を整理しよう！

●裁判員制度、陪審制度、参審制度における市民の役割の相違点を整理しよう

制度名	採用国	裁判官の関与	有罪・無罪	量刑	任期
裁判員制度	日本	裁判官と共同	判断する	判断する	事件ごと
陪審制度	米・英	陪審員のみ	判断する	判断しない	事件ごと
参審制度	独・仏・伊	裁判官と共同	判断する	判断する	任期制

＊アメリカ・イギリスの陪審制度では、基本的には有罪か無罪かの事実認定は陪審員のみが行い、裁判官は法律問題（法解釈）と量刑を判断する。ドイツ・フランスなどの参審制度では、参審員が法律問題（法解釈）についても判断を行うが、日本の裁判員制度では、法律問題についての判断は裁判官が行う。

過去

8 我が国の戦後の日本外交に関する記述として、最も妥当なのはどれか。

1 1945年に日本はポツダム宣言を受諾した後、同年に西側諸国とサンフランシスコ平和条約を締結し、独立を回復した。

2 1951年に日本が米国と締結した日米安全保障条約は、一度も改正されたことがないまま現在に至る。

3 1956年に池田勇人首相がソ連を訪問し、ソ連との間で日ソ平和条約が締結された。

4 1965年、日本は韓国との間で日韓基本条約を締結したが、北朝鮮との国交正常化は現在に至るまで未達成である。

5 1972年に田中角栄首相が中国を訪問し、中国との間で日中平和友好条約が締結された。

重要度		解答時間	3分	正解	4

日韓基本条約は1965（昭和40）年、日本の佐藤栄作首相と韓国の朴正熙（パクチョンヒ）大統領との間で調印された。

× 1 日本がサンフランシスコ平和条約を締結したのは、1951（昭和26）年のこと。1945年8月、ポツダム宣言の受諾を決定、15日降伏した。

× 2 日米安全保障条約は1960年に改正された。日米相互協力及び安全保障条約（新安保条約）が調印され、アメリカの日本防衛義務を明確にし、軍事行動に関する事前協議、条約期限10年などを規定した。

× 3 1956年に鳩山一郎首相がモスクワを訪れ、日ソ共同宣言に調印した。なお、1941年に松岡洋右外相がソ連と日ソ中立条約を締結していたが、現在に至るまで平和条約は締結されていない。

○ 4 日韓基本条約により、両国の国交が樹立された。一方、北朝鮮との間には現在に至るまで国交はない。

× 5 1972年に、田中角栄首相は日中共同声明を発表、日中国交が正常化された。これにより、台湾とは断交となった。日中平和友好条約は1978年、福田赳夫内閣のとき、北京で調印がなされた。

CHECKPOINT

●1945（昭和20）年の終戦前後の動き

7月26日…米・英・中によりポツダム宣言発表、日本は「黙殺」
8月6日…米軍爆撃機B-29により、広島市に原子爆弾投下
　8日…ソ連が日ソ中立条約を破棄し、日本に宣戦布告
　9日…極東ソ連軍、満州に侵入。米軍機、長崎市に原子爆弾投下
　15日…昭和天皇の玉音放送➡戦闘停止　（日本の終戦記念日）
9月2日…東京湾停泊中の米戦艦ミズーリ号上で降伏調印式➡正式に終戦
　11日…GHQ（連合国軍最高司令官総司令部）、戦犯容疑者の逮捕を指令
10月11日…GHQ、五大改革（女性の解放、労働組合の結成、教育の自由主義化、秘密警察などの撤廃、経済の民主化）を指令

2 経済

過去

1 生産市場に関する記述中の空所ア～エに当てはまる語句の組合せとして、最も妥当なのはどれか。

品目Ａ・品目Ｂの上位１社・３社合計・５社合計の生産全体に占める割合

	品目Ａ	品目Ｂ
上位１社	25.0%	40.0%
上位３社合計	70.0%	75.0%
上位５社合計	90.0%	95.0%

特定の生産市場において、供給者が少数である状態を（　ア　）といい、品目Ａ・品目Ｂの生産市場はこの状態にある。上記の表中における２品目のうち、より（　ア　）化が進んでいるのは（　イ　）の方である。また、当該生産市場の産業に属する少数の大企業が価格・生産量などについて協定を結ぶ（　ウ　）に対しては、（　エ　）が課徴金を課すことになっている。

	ア	イ	ウ	エ
1	寡占	品目Ｂ	カルテル	公正取引委員会
2	寡占	品目Ｂ	トラスト	産業再生機構
3	寡占	品目Ａ	カルテル	公正取引委員会
4	独占	品目Ｂ	トラスト	公正取引委員会
5	独占	品目Ａ	トラスト	産業再生機構

重要度		解答時間	3分	正解	1

解説 **少数の企業が生産の大半を占める状態を寡占（かせん）という。また、このような市場の状態を寡占市場という。**

ア 寡占が進むと企業間の価格競争は弱くなり、価格は上昇するが、下落しにくくなる。独占は寡占がさらに進んだもので、１つの企業が生産の大半を占める状態のこと。また、そのような市場を独占市場という。

イ 上位３社合計をみると、品目Ａが70.0％、品目Ｂが75.0％、上位５社合計では品目Ａが90.0％、品目Ｂが95.0％で、いずれも品目Ｂの割合が高い。

ウ 同じ産業に属する少数の大企業が、独立性を保ちながら価格・生産量・販売市場などについて協定を結ぶことをカルテルという。

エ 公正取引委員会は、独占禁止法を運用するために設置された組織。独占禁止法は1947年に制定。カルテルや持株会社を禁止し、合併を制限、自由競争と消費者の利益を守ることを目的とする。なお、1997年の改正によって持株会社は解禁された。産業再生機構は2003～07年に存在した政府関与の株式会社。企業再生や不良債権処理を目的とした。

要点を整理しよう！

●独占の形態

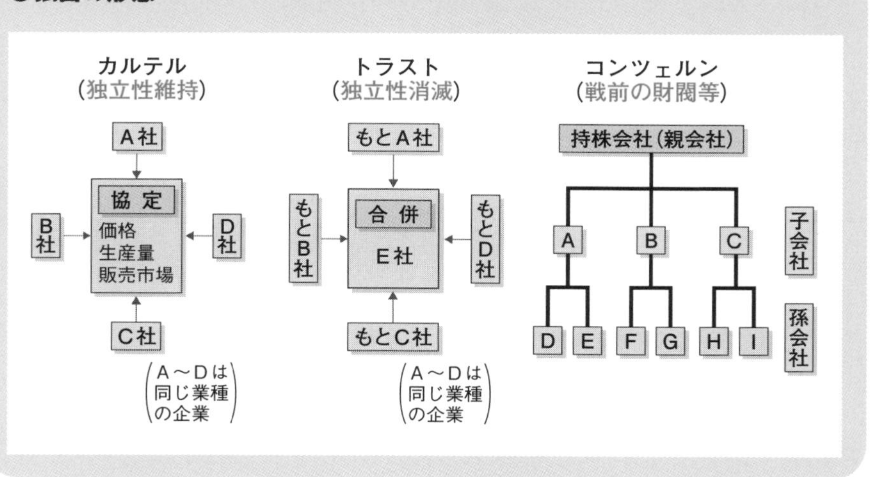

2　為替に関する記述として、最も妥当なのはどれか。

1　日本が低金利政策を続け、米国が高金利政策を採用した場合、一般的に為替相場は円安に向かう。

2　為替レートの急激な変化に対応するため、日本銀行単独の権限で為替介入を行うことができる。

3　為替レートは、短期的には、経済成長率、インフレ率などのファンダメンタルズに影響を受ける。

4　為替レートにおいて、外国通貨1単位に対して、自国通貨がいくらになるかを表す方法のことを外国通貨建てと言う。

5　ブレトン・ウッズ体制において、各国は為替相場を固定相場制から変動相場制に移行した。

重要度	❢❢❢	解答時間	3分	正解	1

解説 **低金利政策を行う国の通貨は安く、高金利政策を行う国の通貨は高くなるのが一般的である。**

○ 1 この場合、金利の高いアメリカで預金をすれば多くの利息が得られるので、ドルの需要が増えドル高に、金利の低い日本で預金をしても少しの利息しか得られないので、円の需要は減り円安になる。

× 2 日本銀行単独の権限ではなく、財務大臣の指示に基づいて介入を行う。

× 3 短期的ではなく、長期的には、為替レートはファンダメンタルズ（経済の基礎的条件）に影響を受ける。短期的に影響を受けるのは、各国の経済指標（アメリカの雇用統計など）や要人の発言など。

× 4 設問文は自国通貨建ての説明。１ドル＝110円などと表示。自国通貨１単位に対して外国通貨がいくらになるかを表すのが外国通貨建て。

× 5 ブレトン・ウッズ体制とは、1944年にアメリカで開かれたブレトン・ウッズ会議で定められた体制。戦後の国際経済の安定・復興のため、IMF（国際通貨基金）やIBRD（国際復興開発銀行）の設立が決められた。

要点を整理しよう！

●経済用語の確認

- 金為替本位制度…金本位制のひとつ。国内では本位貨幣が発行されず、金為替により、金との兌換が約束された国の通貨に結びつけ、国内通貨と金の間に間接的な等価関係を維持する制度。1944年のIMF協定により、各国通貨の価値は金との兌換が約束されているドルと結びつけられた。
- 固定相場制…為替相場を固定し、変動を認めない制度。日本は1952年、IMFに加盟、為替相場は１ドル＝360円と定められ、1971年まで維持された。
- 変動相場制…外貨の需要と供給により、為替相場が変動する制度。1960年代の物価上昇などにより、固定相場制の維持が困難に➡1971年、アメリカのニクソン大統領は、金の高騰によるドルの下落を防ぐため、ドルと金の兌換を停止➡同年末、スミソニアン合意により固定相場制維持➡1973年、固定相場制の維持はやはり困難であり、外国為替市場は変動相場制に移行。

過去

3 政府の財政活動の予算に関する記述として、最も妥当なのはどれか。

1 一般会計予算の財源は税と公債であり、原則として日本銀行が公債を直接引き受けることが法律で定められている。

2 特別会計予算とは、年度途中に予想外の状況により、追加の財政支出を行うために組まれる予算である。

3 政府関係機関予算とは、特別な法律により設立され、政府が全額出資する法人に関する予算である。

4 暫定予算とは、特定の事業の実施や、特定の資金を運用するためのもので、目的別に設けられている予算である。

5 補正予算とは、年度当初に本予算の議決ができないときに組まれる予算である。

重要度	❗❗❗	解答時間	3分	正解	3

政府関係機関とは、特別の法律によって全額を政府の出資で設立された法人のことで、その予算が政府関係機関予算である。一般会計予算、特別会計予算と同様、国会における議決が必要になる。

× **1** 日本銀行による国債の直接引き受けは、財政法により禁止されている（国債の市中消化の原則）。日本銀行が国債の引き受けにより、政府への資金供与を始めると、国の財政節度を失わせ、日本銀行の通貨の増発に歯止めがかからなくなり、悪性インフレーションを引き起こす可能性があるためである。世界の先進諸国でも、中央銀行の国債引き受けは禁止されている。

なお、一般会計予算とは、公共投資や社会保険給付費用など、一般的な行政に必要な予算のことである。

× **2** 設問文は、補正予算のことをいっている（→**5**）。特別会計予算とは、特別の事業を行うために設けられている予算のこと。特別会計は、一般会計から切り離し、独立して行われる経理で、例えば、復興庁管轄の「東日本大震災復興特別会計」、財務省管轄の「財政投融資特別会計」など。

○ **3** 政府関係機関には、沖縄振興開発金融公庫、株式会社日本政策金融公庫、株式会社国際協力銀行、独立行政法人国際協力機構（JICA）有償資金協力部門がある（2024年８月現在）。

2006年度までは、６公庫２銀行（国民生活金融公庫、住宅金融公庫、農林漁業金融公庫、中小企業金融公庫、公営企業金融公庫、沖縄振興開発金融公庫、旧日本政策投資銀行、旧国際協力銀行）があったが、廃止や民営化などが行われ、現在に至った。

× **4** 設問文は、特別会計予算のことをいっている（→**2**）。暫定予算とは、本予算成立までの短期間をしのぐための暫定的な予算である。本来、予算は年度の始まる４月１日までに国会の審議を経て成立していなければならないが、国会における予算審議の遅れや衆議院解散などの事情によって、本予算の成立が間に合わなかった場合に編成される。

× **5** 設問文は暫定予算のことをいっている（→**4**）。補正予算とは、予期できない自然災害や、急激な社会情勢の変化などにより、新たに財政支出の必要が生じたときに編成される予算のこと。内閣が補正予算案を作成、国会で審議され成立する。

次に挙げる租税のうち、直接税かつ国税であるもののみをすべて挙げている組み合わせとして、妥当なのはどれか。

自動車税（種別割）、固定資産税、所得税、関税、消費税、相続税、酒税、都市計画税、法人税

1 自動車税（種別割）、所得税、相続税、都市計画税

2 固定資産税、消費税、法人税

3 所得税、相続税、法人税

4 固定資産税、関税、酒税、都市計画税

5 酒税、都市計画税、法人税

重要度	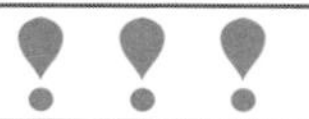	解答時間	2分	正解	3

国税であり、しかも直接税であるのは、所得税、相続税、法人税の組み合わせになる。直接税は納税者と税の負担者が一致する税。間接税は納税者と税の負担者が一致しない税である。

× 1 自動車税（種別割）は道府県に対して納める地方税（道府県税）で、直接税である。2019（令和元）年10月1日に「自動車税」が「自動車税（種別割）」に名称変更された。都市計画税は、都市計画に指定された区域内の土地や建物にかけられる地方税（市町村税）で、直接税になる。

× 2 固定資産税は地方税（市町村税）で直接税。消費税は国税で間接税。

○ 3 所得税、法人税はともに国税の代表例である。所得税は個人の所得にかけられる直接税、法人税は会社など法人の利益にかけられる直接税となる。相続税はある人の死亡により、その人の財産などをもらった者（妻や子どもなど）にかけられる税金のことで、国税で直接税。

× 4 関税・酒税はともに国税であるが、間接税になる。

× 5 酒税は国税で間接税、都市計画税は地方税で直接税である。

＊「道府県税」としているのは、東京都の場合、徴収する税金の一部が道府県と異なっており、都税は道府県税とは区別されることが多いため。

要点を整理しよう！

●日本の税の種類

納め方による分類
- 直接税…納税者と負担者（担税者）が一致
- 間接税…納税者と負担者（担税者）が一致しない

課税権者による分類
- 国税…国が課税
- 地方税…都道府県や市町村など地方公共団体が課税。道府県税と市町村税からなる

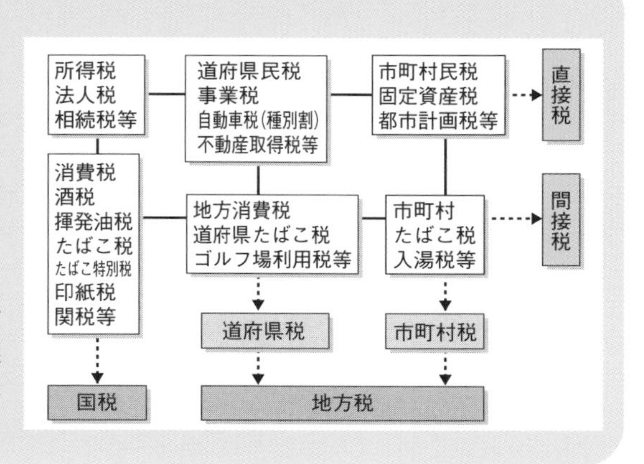

過去

5 現代の企業に関する記述として、最も妥当なのはどれか。

1 株式の保有によって他の企業を支配することが主たる業務である会社を持株会社といい、我が国では独占禁止法によって禁止されている。

2 現代の企業は、同じ業種の会社を合併・買収（M&A）し、コングロマリットと呼ばれる複合企業になるものが多い。

3 企業が利害関係者の利益に反する行動をとらないように、株主などが経営を監視することをコンプライアンスという。

4 企業活動の広がりとともに、利潤追求だけではなく、環境保護や法令遵守などの企業の社会的責任（CSR）が重視されるようになってきている。

5 寄付行為やボランティアなど企業の社会的貢献をメセナ、芸術や文化への支援活動をフィランソロピーといい、企業の社会的責任の一つになっている。

重要度	❗❗❗	解答時間	3分	正解	4

CSR（Corporate Social Responsibility）とは、企業が社会的存在として果たすべき責任のことで、「企業の社会的責任」と訳される。

× 1 かつて、持株会社は独占禁止法により全面的に禁止されていたが、1997（平成9）年6月に、独占禁止法改正法案が可決・成立し、独占禁止法の目的に反しない範囲で持株会社は解禁された。

× 2 異なった業種の会社を合併・買収（M&A）して多角経営を行う大企業を、コングロマリット（複合企業）と呼ぶ。

× 3 コーポレートガバナンスの説明。会社は経営者のものではなく、株主のものという考えのもと企業経営を監視するシステム。コンプライアンスは企業が法令を守ることで、一般には法令遵守と訳される。

○ 4 今日の企業は、環境問題や次世代への配慮を行い、従業員・顧客・株主・地域社会などに対して責任ある行動をとり、説明責任を果たしていくことが求められる。CSRを進めるにおいては、ISO26000に示されているCSR 7つの原則を念頭に置く必要がある。

× 5 企業による社会的貢献をフィランソロピー、芸術や文化を対象とした支援活動をメセナという。

CHECKPOINT

●持株会社解禁の理由

国際競争に対応し、我が国の経済の構造改革を進め、事業者の活動をより活発にする等の観点から、持株会社の設立は一部の例外を除き、原則自由となった。持株会社化することにより、経営権を集約でき、事業の効率化を進めることができるというメリットがある。現在の持株会社は「○○ホールディングス」という名称が多い。

●CSR 7つの原則

・説明責任・透明性・倫理的行動・ステークホルダーの利害の尊重（株主、取引先、従業員、消費者など多くの利害関係者［ステークホルダー］に配慮する）・法令遵守・国際行動規範の尊重・人権尊重

3 社会

「令和6年版　環境白書・循環型社会白書・生物多様性白書」（環境省）に関する記述として、最も妥当なのはどれか。

1　世界気象機関（WMO）は、2023年はラニーニャ現象と気候変動が重なり、6～12月の全てで月間の最高平均気温を更新し、2023年が観測史上最も暑かった年であることを発表した。

2　環境省は、令和元年東日本台風（台風19号）などを対象とし、地球温暖化が進行した世界で同様の台風が襲来した場合の中心気圧や雨量、風速等の変化、洪水や高潮への影響についてシミュレーションを行った。令和元年東日本台風のシミュレーションでは、気温が4度上昇した場合、関東・東北地域の累積降水量が平均で9.8％増加、河川の最大流量が平均13％上昇する結果となった。

3　2023年12月に国際自然保護連合（IUCN）が公表した、絶滅のおそれのある世界の野生生物のリスト「レッドリスト」の最新版では、「絶滅の危機が高い」とされる種数は、1年前から比較して約200種増加して、4,400種に及ぶという結果が示されている。

4　我が国では、大気環境の保全のため、光化学オキシダント及びPM2.5の生成原因となりうるマイクロプラスチックに関する排出実態の把握に努め、対策を進める方針である。

5　我が国では、2023（令和5）年1月時点で、陸地の約20.5％、海洋の約13.3％が生物多様性の観点からの保護地域に指定されているが、今後、30by30目標を達成するため、国立公園などの拡張により現状からの上乗せを目指していく。

重要度		解答時間	4分	正解	5

30by30（サーティ・バイ・サーティ）とは、生物多様性の損失を食い止め、反転させる「ネイチャーポジティブ：自然再興」というゴールに向け、2030年までに陸と海の30%以上を健全な生態系として効果的に保全しようとする目標のこと。

× 1 ラニーニャ現象ではなく、エルニーニョ現象である。他の記述は正しい。2023年は、インド中部〜パキスタンの大雨・洪水やカナダの森林火災など、世界各地でさまざまな気象災害がみられた。

× 2 令和元年東日本台風（台風19号・2019年10月）のシミュレーションでは、気温が４度上昇した場合、関東・東北地域の累積降水量が平均で19.8％増加、河川の最大流量が平均23％上昇する結果となった。

× 3 「絶滅の危機が高い」とされる種数は、１年前から比較して約2,000種増加して、44,016種に及ぶという結果が示されている。

× 4 マイクロプラスチックは主に海洋環境に影響を与えるもの。大気環境に影響を与える光化学オキシダント及びPM2.5の生成原因となりうるのは、窒素酸化物（NOx）、揮発性有機化合物（VOC）などである。

○ 5 国立・国定公園については、政府は全国14ヵ所の新規指定・大規模拡張候補地についての情報収集を続け、2030年までに順次、国立・国定公園区域に指定・編入することを目指す。

CHECKPOINT

●気象環境問題の用語をチェックしよう

- エルニーニョ現象…太平洋赤道域の日付変更線付近から南米沿岸にかけて海面水温が平年より高くなり、その状態が１年程度続く現象。世界中の異常気象の要因と考えられ、日本では夏は冷夏か平均並み、冬は暖冬か平年並みになる傾向があるといわれる。
- ラニーニャ現象…太平洋赤道域の日付変更線付近から南米沿岸にかけて海面水温が平年より低くなり、その状態が１年程度続く現象。世界中の異常気象の要因と考えられ、日本では夏は暑夏か平年並み、冬は暖冬ではなくなる傾向があるといわれる。

2 我が国の社会保障制度に関する記述として、最も妥当なのはどれか。

1 医療保険と年金保険は、国民健康保険法と国民年金法の制定を経て、1960年代前半に、国民皆保険、国民皆年金が実現した。

2 社会保障制度は、憲法第25条の生存権の保障を基本理念としており、社会保険、公的扶助、社会福祉の３つの柱から成り立っている。

3 社会保険は、事故の危険性に備えて、人々があらかじめ保険料を支払い、事故が発生したときに給付を受ける制度で、医療・年金・介護の３つに分かれている。

4 現在の公的年金制度は、在職中に積み立てた保険料で将来の年金の給付をまかなう積立方式が採用されている。

5 社会福祉は、生存権の保障を実質化するために、生活困窮者に対して一定水準の生活を国の責任で保障するもので、その中心となるのが生活保護である。

重要度		解答時間	4分	正解	1

解説 1961（昭和36）年に、国民皆保険、国民皆年金が実現したとされる。

○ 1 1958（昭和33）年に国民健康保険法が全部改正、翌59年に施行された。同59年に国民年金法が制定、61年から全面施行となった。

× 2 社会保障制度は社会保険、公的扶助、社会福祉、保健医療・公衆衛生の4つの柱から成り立つ。社会保障制度が、憲法第25条の生存権の保障を基本理念としているのは正しい。

× 3 今日の社会保険は、医療保険・年金保険・介護保険のほか、雇用保険・労働者災害補償保険の合計5つの機能をもっている。

× 4 我が国の公的年金制度は世代と世代の支え合いという考え方（賦課方式）によっている。確定拠出年金など私的年金が積立方式をとっている。

× 5 公的扶助の説明である。公的扶助の目的は、生活困窮者の救済である。社会福祉の目的は、ハンディキャップを負う人が安心して社会生活を営めるよう公的支援をすることである。

CHECKPOINT

●年金の種類

- 公的年金
  - 国民年金…日本に住む20～60歳未満の人が加入する。
  - 厚生年金…会社員・公務員などが加入、保険料の半分は事業主が支払い、残り半分を従業員が支払う。
  - 老齢年金…所定の歳に達すると支給。支給額は加入期間に応じて変動。
  - その他…障害年金、遺族年金、付加年金、寡婦年金、死亡一時金、脱退一時金等。
- 私的年金
  - 確定給付企業年金…従業員が高齢期に約束に基づく給付を受ける。
  - 企業型確定拠出年金…会社が積み立て、従業員が運用、所定の年齢で受給。
  - 個人型確定拠出年金（iDeCo）…個人が運用・積み立てを行い、所定の年齢で受給。
  - 国民年金基金…自営業者などが国民年金に上乗せする年金制度。

過去

3 マルウェアの一種であるランサムウェアに関する記述として、最も妥当なのはどれか。

1 悪意あるプログラムによってPC内のファイルが閲覧・編集できない形に暗号化され、ファイル復元の身代金として、ユーザーに金銭を要求する不正プログラムのこと。

2 インターネット上で公開されている辞書ツールを使って、考えられるあらゆるパターンのパスワードを順番に試し、パスワードを割り出して侵入する不正プログラムのこと。

3 悪意を持った攻撃者がターゲットのユーザーがよく訪れるウェブサイトを調べ、そのサイトを訪れた際にウイルスに感染するように罠を仕掛ける手法のこと。

4 ウェブサーバに対して大量のリクエストを送信することで、サーバに膨大な処理負荷を発生させ、サービス停止状態に追い込むことを目的とする攻撃のこと。

5 無害な正規のプログラムのふりをしつつインストールや実行するように仕向けた上、攻撃者の意図する動作を侵入先のコンピュータで秘密裏に行う不正プログラムのこと。

重要度	!!!	解答時間	3分	正解	1

ランサムウェアとは、ファイル復元の見返りに身代金を要求するもの。ランサム（Ransom　身代金）とソフトウェアを組み合わせた名称である。

○ **1** 感染経路としては、送られてきたメールの添付ファイルを開いたり、リンク先をクリックしたりすることが多いが、サイトにアクセスしただけで感染するという例も確認されている。（「警察庁サイバー犯罪対策プロジェクト」サイト）

× **2** 他人のパスワードを不正に暴くパスワードクラックのことをいっている。辞書に登録された単語を順番に照らし合わせていく手法は「辞書攻撃（ディクショナリーアタック）」と呼ばれる。

× **3** 「水飲み場型攻撃」と呼ばれるもの。獲物を水飲み場で待ち伏せする肉食動物のようであることから、この名称がついた。

× **4** 「Dos（ドス）攻撃」という攻撃手法。サーバに大量のリクエストや膨大なデータを送りつけ、サービスを利用不能にすることが目的。

× **5** 「トロイの木馬」のことである。有益、または無害な正規のプログラムと見せかけ、ユーザーに危険と思わせないで招き入れることが特色。攻撃者は感染したコンピュータに自由に出入りできるようになり、パスワードや個人情報を盗み取ることが可能になる。

CHECKPOINT

●マルウェアについて整理しよう

- **マルウェアとは**…不正かつ有害な動作を行う意図で作成された悪意あるソフトウェアやコードの総称。
- **マルウェア感染の兆候**

・パソコンの起動に時間がかかる、または起動できない　・システムの動作が遅くなる、または途中で止まる　・画面上に奇妙なメッセージが表示されたり、音楽が流れたりする　・身に覚えのないメールを送信している

- **マルウェア対策**

・ウイルス対策ソフトを利用する　・OSやソフトウェアを最新の状態に保つ
・怪しげなサイトに近づかない　・添付ファイルなどをむやみに開かない

4 「令和５年版　犯罪白書」（法務省）に関する記述として、最も妥当なのはどれか。

1　刑法犯の認知件数は、1996（平成８）年から戦後最多を更新し続け、2002（平成14）年には285万3,739件にまで達したが、翌年から減少に転じ、2022（令和４）年には、戦後最少の56万8,104件にまで減少した。

2　刑法犯について、検挙人員の年齢層別構成比の推移を見ると、65歳以上の高齢者の構成比は、1993（平成５）年には23.1％（３万9,144人）を占めていたが、2022（令和４）年には3.1％（9,314人）まで減少している。

3　認知件数において、刑法犯の７割近くを占めるのが窃盗である。窃盗の認知件数で戦後最多を記録した2002（平成14）年をピークに、以後は減少を続け、2014（平成26）年以降は戦後最少を更新していたが、2022（令和４）年に増加となった。

4　少年による刑法犯、危険運転致死傷及び過失運転致死傷等の検挙人員の推移においては、平成期に1996（平成８）年～1998（平成10）年、及び2001（平成13）年～2003（平成15）年にそれぞれ一時的なピークがあったものの、全体としては減少傾向にあり、2012（平成24）年以降、2022（令和４）年現在に至るまで戦後最少を記録し続けている。

5　過失運転致死傷罪の検挙人員は、2022（令和４）年は737人（前年比6.2％増）であった一方、危険運転致死傷罪の検挙人員は2022（令和４）年は28万9,952人（前年比2.4%減）であった。

重要度	❗❗❗	解答時間	4分	正解	3

2003（平成15）年以降の刑法犯の認知件数の減少は、刑法犯の7割近くを占める窃盗の認知件数が大幅に減少し続けていることによるが、2022（令和4）年、刑法犯及び窃盗の認知件数はともに増加。

× **1** 2003（平成15）年以降は、19年連続で減少、2021（令和3）年まで戦後最少を更新していたが、2022（令和4）年は20年ぶりに増加し、60万1,331件（前年比3万3,227件増・5.8％増）であった。

× **2** 刑法犯検挙人員における65歳以上の高齢者の構成比は、1993（平成5）年には3.1％（9,314人）であったが、2022（令和4）年には23.1％（3万9,144人）となり、比率が大幅に増加している。

○ **3** 窃盗の認知件数は、2002（平成14）年は237万7,488件で、以後は減少を続けたが、2022（令和4）年に40万7,911件（前年比2万6,142件増・6.8%増）となった。

× **4** 令和以降も戦後最少を更新していたが、2022（令和4）年は前年からわずかに増加、2万9,897人（前年比0.3％増）であった。

× **5** 過失運転致死傷罪と危険運転致死傷罪の数値が反対。危険運転致死傷罪の検挙人員は2015（平成27）年以降、590～730人台で推移している。

CHECKPOINT

●刑法犯認知件数の罪名別構成比（2022年）

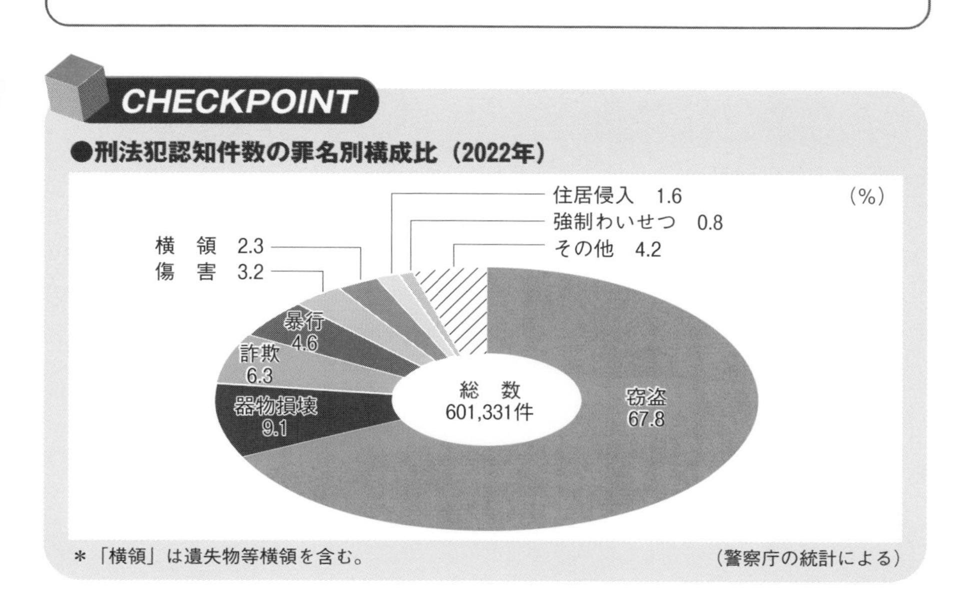

＊「横領」は遺失物等横領を含む。　　（警察庁の統計による）

5 我が国の都道府県において、ユネスコ（国際連合教育科学文化機関）の世界遺産が存在しないのはどれか。

1 北海道　**2** 富山県　**3** 神奈川県
4 島根県　**5** 沖縄県

重要度	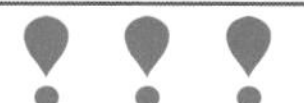	解答時間	2分	正解	3

日本の世界遺産は所在地を含めて、すべて覚えておこう。

× **1** 知床が2005（平成17）年、自然遺産に登録されている。
× **2** 1995（平成７）年、白川郷・五箇山の合掌造り集落が文化遺産に登録されている。白川郷は岐阜県だが、五箇山は富山県にある。
○ **3** 鎌倉を世界遺産に申請したことがあるが、不登録となっている。
× **4** 2007（平成19）年、石見銀山遺跡とその文化的景観が文化遺産に登録。
× **5** 2000（平成12）年、琉球王国のグスク及び関連遺産群が文化遺産に登録。

CHECKPOINT

●日本の世界遺産一覧（2024年８月現在）

[世界自然遺産]
●屋久島　●白神山地　●知床　●小笠原諸島　●奄美大島、徳之島、沖縄島北部及び西表島

[世界文化遺産]
●法隆寺地域の仏教建造物　●姫路城　●古都京都の文化財　●白川郷・五箇山の合掌造り集落　●原爆ドーム　●厳島神社　●古都奈良の文化財　●日光の社寺　●琉球王国のグスク及び関連遺産群　●紀伊山地の霊場と参詣道　●石見銀山遺跡とその文化的景観　●平泉―仏国土(浄土)を表す建築・庭園及び考古学的遺跡群　●富士山―信仰の対象と芸術の源泉　●富岡製糸場と絹産業遺産群　●明治日本の産業革命遺産　製鉄・製鋼、造船、石炭産業　●ル・コルビュジエの建築作品―近代建築運動への顕著な貢献　●「神宿る島」宗像・沖ノ島と関連遺産群　●長崎と天草地方の潜伏キリシタン関連遺産　●百舌鳥・古市古墳群―古代日本の墳墓群　●北海道・北東北の縄文遺跡群　●佐渡島の金山

過去

6 **個々の労働者の労働時間を短縮して雇用者数を確保しようとする考え方として、最も妥当なのはどれか。**

1 ワークシェアリング
2 リストラクチャリング
3 フレックスタイム制
4 裁量労働制
5 変形労働時間制

重要度	!!!	解答時間	2分	正解	1

解説 **ワークシェアリングは、現在働いている労働者の勤務日数や勤務時間を短縮して、その分を別の労働者の雇用に振り分け、仕事を分かち合い、社会全体で雇用機会を創出する方法である。**

○ 1 ワークシェアリングには、新たな雇用を生み出すのが目的の場合（多様就業対応型）と、企業が不景気を乗り越えるのが目的の場合（雇用維持型）などがある。

× 2 再構築という意味で、企業が採算が取れない部門の廃止や縮小を行ったり、反対に、収益率の高い部門を拡大したり、資本の投入を集中させたりすることをいう。

× 3 1日の労働時間をコアタイム（必ず勤務する時間帯）とフレキシブルタイム（いつ出社・退社してもよい時間帯）に分け、出社退社の時刻を労働者が自由に決められる制度。なお、1カ月の労働時間はあらかじめ定められている。

× 4 労働時間の計算を実働時間ではなく、みなし時間で行う制度。同じ仕事の成果をあげるのに必要な時間が個人により大幅に異なる場合に採用される。研究開発、情報処理システムの分析、取材・編集、デザイナー、公認会計士、弁護士などの仕事が対象となる。

× 5 時期や季節によって仕事量が大きく違う場合に採用される制度。一定の期間の週あたりの労働時間が労働基準法に基づく40時間以内であれば、特定の日や週の労働時間が法定労働時間を超えても、企業側は残業代を支払わずに従業員を働かせることができる。

SECTION 1 社会科学 ココを押さえる

政治

■日本国憲法の概要はかならずチェックしておきましょう。
■基本的人権の内容は頻出事項です。
■日本の政治の基本的なしくみは、高校教科書の復習をすることで、完璧にマスターしましょう。
■近年の国際政治の知識も必要です。

経済

■生産市場に関することや税のしくみは復習しておいてください。
■新聞などで見る最近の経済用語を理解しておきましょう。
■日本経済、国際経済の現状も概要を把握しておくことが大切です。

社会

■最近の社会情勢をしっかり把握しているかが問われます。自然災害や世界の紛争などの目立った出来事や事件などは、新聞やテレビ、インターネットのニュースなどからチェックしておいてください。
■日本の社会問題（格差、少子高齢化、環境問題など）は現状をしっかり把握しておくことです。
■「情報関連」の用語は基本的なものを覚えておきましょう。

SECTION 2

人文科学

高校までの歴史、地理、倫理、国語、英語の勉強が基礎になります。
忘れていた分野などの復習をしましょう。
今までの学習の総まとめとしてチャレンジしてください。

4 日本史 —— 44
5 世界史 —— 56
6 地理 —— 68
7 倫理 —— 80
8 国語 —— 88
9 英語 —— 102

■人文科学 

を押さえる — 112

4 日本史

過去

1 鎌倉時代に関する記述として、最も妥当なのはどれか。

1 鎌倉幕府の中央機関として、御家人を統率する政所や一般政務を取り扱う問注所が設置された。

2 3代将軍源実朝が暗殺されたことにより、源頼朝の血筋が途絶えてしまったため、その後将軍が置かれることはなかった。

3 承久の乱後は特に守護が荘園侵略を強めるようになり、公家は妥協策として守護と守護請や下地中分などの契約を結んだ。

4 元寇後の幕府内での得宗の勢力拡大にともない、その家臣の御内人も力を強め、御内人や北条家が幕政を主導するようになった。

5 後醍醐天皇の討幕には足利高氏（のち尊氏）や新田義貞が加わり、抵抗する楠木正成や北条高時を滅ぼし、鎌倉幕府は滅亡した。

重要度	❗❗❗	解答時間	3分	正解	4

元寇後も幕府は警戒を緩めず、西国における勢力を強めていった。これにともない、得宗や御内人の権力が強まり、旧来の御家人との対立も激しくなった。北条家はこれを取り締まり、専制を強めていった。

× 1 御家人を統制するのは侍所。一般政務や財政事務を取り扱うのは政所である。問注所は裁判事務を担当する機関であった。

× 2 実朝の暗殺で源氏の血統は絶えたが、その後も鎌倉幕府では将軍は滅亡時の9代まで置かれ続けた。しかし、実権は執権である北条氏が握り、将軍は京都から招いた貴族、皇族出身者で、全くの傀儡(かいらい)であった。

× 3 守護ではなく、地頭である。公家などの領主は、地頭に荘園の管理を任せ、定額の年貢の納入だけを請け負わせる地頭請(じとううけ)や、領地を地頭と折半して土地・住民を分割して支配する下地中分(したじちゅうぶん)などの契約を結んだ。

○ 4 得宗(とくそう)とは、北条家の嫡流（本家）の当主のこと。御内人(みうちびと)とは、得宗家に仕えた家臣のこと。

× 5 楠木正成は鎌倉幕府側ではなく、討幕側。後醍醐天皇に忠義を尽くした武将として知られる。北条高時は鎌倉幕府最後となった14代執権。

要点を整理しよう！

●鎌倉幕府のしくみ

将軍

執権（将軍の補佐）

地方

守護…治安維持と警察権をもつ機関で国ごとに設置

地頭…荘園、公領を管理する機関

六波羅探題…朝廷の監視や西日本の御家人の統制

鎮西奉行（九州）、奥州総奉行（東北）

中央

侍所…御家人の統制、軍事・警察権をもつ

政所…一般政務、財政事務

問注所…裁判事務

過去

2 日本の文化に関する記述として、最も妥当なのはどれか。

1 天平文化とは、蘇我氏や王族により広められた仏教中心の文化をいい、渡来人の活躍もあって百済や高句麗、そして中国の南北朝時代の文化の影響を多く受け、当時の西アジア・インド・ギリシアともつながる特徴をもった。

2 鎌倉文化とは、貴族社会を中心に、それまでに受け入れられた大陸文化を踏まえ、これに日本人の人情・嗜好を加味し、さらに日本の風土に合うように工夫した、優雅で洗練された10～11世紀の文化をいう。

3 国風文化を生み出した背景は、地方出身の武士の素朴で質実な気風が文学や美術の中に影響を与えるようになったことと、日宋間を往来した僧侶・商人に加えて、モンゴルの中国侵入で亡命してきた僧侶らによって、南宋や元の文化がもたらされたことである。

4 足利義満は京都に壮麗な山荘をつくったが、そこに建てられた金閣の建築様式が、伝統的な寝殿造風と禅宗寺院の禅宗様を折衷したものであり、時代の特徴をよく表わしているので、この時代の文化を東山文化と呼んでいる。

5 16世紀から17世紀にかけての文化を桃山文化と呼び、この文化を象徴するのが城郭建築である。この時代の城郭は平地につくられ、重層の天守閣をもつ本丸をはじめ、石垣で築かれ、土塁や濠で囲まれた複数の郭をもつようになった。

重要度	❗❗❗	解答時間	3分	正解	5

解説 **日本のそれぞれの時代の文化の特色を整理しておこう。**

× 1 飛鳥文化のこと。大陸からもたらされた文化の多くは、中国南北朝時代の北魏のものだった。この頃の中国文化の中には、シルクロードを通じて、インド・ペルシア・ギリシアから伝わったものもあった。

× 2 国風文化のこと。平安時代の894年に、菅原道真の意見によって遣唐使が廃止され、貴族たちはこれまでの唐を中心とした大陸文化を日本人の生活や好みに合わせていこうとした。こうして生み出されたのが国風文化で、優雅で洗練されており、かな文字の発達に特色がある。

× 3 鎌倉文化のこと。京都の貴族文化をもとに、武士の質実な文化が加えられ、さらに禅宗などの宋の文化や元の文化の影響も受けている。とくに鎌倉仏教と呼ばれる新しい仏教が起こったことに特色がある。

× 4 北山文化のこと。室町幕府３代将軍足利義満は京都の北山に寝殿造と禅宗様をとりまぜた金閣をつくった。東山文化は８代将軍足利義政のときのもので、銀閣や東求堂(とうぐどう)には書院造の様式が取り入れられている。

○ 5 桃山文化の代表的なものに、信長の安土城、秀吉の伏見城などがある。

CHECKPOINT

●日本の歴代文化の特色と代表的人物・作品など

文化	時代	特　色
飛鳥文化	飛鳥時代	大陸の影響を受けた仏教文化　聖徳太子　法隆寺
天平文化	奈良時代	平城京中心の唐風文化 聖武天皇 東大寺大仏 正倉院
国風文化	平安時代中期以降	洗練された貴族文化　かな文字　『源氏物語』
鎌倉文化	鎌倉時代	武士の気風と禅宗を反映　鎌倉仏教　金剛力士像
北山文化	室町時代前期	武家文化と公家文化の融合　足利義満　金閣　能
東山文化	室町時代中期	禅宗と中国・明の影響　足利義政　銀閣　水墨画
桃山文化	安土桃山時代	豪壮雄大　織田信長　豊臣秀吉　茶道　ふすま絵
元禄文化	江戸時代前期	上方中心の町人文化　井原西鶴　近松門左衛門
化政文化	江戸時代後期	江戸中心の町人文化　葛飾北斎　歌川広重　川柳

過去

3 鎌倉幕府滅亡から室町幕府が開かれる時期に関する記述として、最も妥当なのはどれか。

1 六波羅探題を攻め落とした足利高氏（のちの尊氏）が関東に下り、鎌倉を攻めて北条氏を倒すと、1333年、鎌倉幕府は滅亡した。

2 鎌倉幕府の滅亡後、後醍醐天皇は帰京し光厳天皇を廃すと、建武の新政とよばれる、武士や悪党を中心とした新しい武家政治をめざした。

3 1335年、北条高時の子の時行が関東で反乱を起こすと、足利尊氏は反乱の鎮圧を口実に関東に下り、時行と組んで新政権に反旗を翻した。

4 足利尊氏が1336年に光明天皇をたてると、後醍醐天皇は吉野へ逃れ、以後、南朝（大覚寺統）と北朝（持明院統）の対立がはじまった。

5 室町幕府では当初、足利尊氏と弟の直義による二頭政治が行われたが、尊氏と高師直の対立がはじまり、観応の擾乱とよばれる争いが起きた。

重要度	❢❢❢	解答時間	3分	正解	4

足利尊氏が光明天皇をたて、一方の後醍醐天皇は吉野に逃れ自らの皇位の正統性を主張し、南北朝の対立がはじまった。

× 1 関東で北条氏を滅ぼしたのは、新田義貞である。足利尊氏は初めは鎌倉幕府軍の大将であったが、幕府に背いて六波羅探題を攻め落としている。

× 2 後醍醐天皇の建武の新政は、天皇を中心とした政治である。そのため、武士の不満を招くことになった。建武の新政は3年足らずで崩壊した。

× 3 1335年に北条時行の起こした反乱（中先代の乱）の記述は正しいが、時行は足利尊氏に鎮圧されており、二人は組んではいない。

○ 4 京都の朝廷を北朝、吉野の朝廷を南朝といい、それぞれが異なった年号を用い、約60年間対立した。

× 5 観応の擾乱（1350～52年）は足利尊氏と弟の直義の争い。尊氏派の高師直と直義が戦い、師直は死亡するが、その後、直義も尊氏に毒殺される。

CHECKPOINT

●室町時代初期の主要人物

後醍醐天皇（1288～1339）…足利尊氏らと協力して鎌倉幕府を倒し、建武の新政を行う。天皇中心の政治をめざすが、武士の不満を引き起こし挫折。尊氏と対立し、吉野に移り南朝を擁し、南北朝時代を招く。

楠木正成（1294?～1336）…河内の豪族で、後醍醐天皇のもと建武の新政に尽力。摂津の湊川で戦死。かつては忠君愛国の見本とされた。

足利尊氏（1305～58）…室町幕府を開いた初代将軍。鎌倉幕府の御家人出身。後醍醐天皇と協力して鎌倉幕府を倒し、建武の新政に参加。その後、後醍醐天皇と対立し、北朝を擁立、南北朝時代となる。

新田義貞（1301～38）…上野の豪族。後醍醐天皇の呼びかけに応え、鎌倉幕府を倒し、建武の新政に参加。南北朝では南朝側についたが、越前で戦死。

4 近世の日本における外交体制に関する記述として、妥当なものはどれか。

1 18世紀後半、ロシア使節ラックスマンが北海道の根室に来航したが、異国船打払令を出して撃退した。

2 18世紀前半、幕府は長崎貿易を制限するとともに、輸入品代金のうち、金(きん)で支払う分を増やした。

3 18世紀前半、幕府は大陸の学術情報を得るためにも朝鮮通信使の待遇を改善し、従来よりも手厚いものとした。

4 18世紀後半、林子平は『海国兵談』『三国通覧図説』などで軍備の充実や海防強化の必要性を説いたが、幕府は人心を惑わすものとして子平を処罰した。

5 19世紀前半、シーボルトと日本地図などを欧米の学術資料と交換しようとした伊能忠敬が処罰された。

重要度	❗❗❗	解答時間	3分	正解	4

解説 **林子平は国防論を説いた先駆的著述を発表したが、江戸幕府はこれを危険な書とみなし、発禁処分とし、子平を処罰した。**

× 1 ラックスマンの根室来航は1792年のこと。幕府が異国船打払令を出したのは1825年になってからである。

× 2 金で支払う分を増やしたのではなく、減らそうとした。第5代将軍徳川綱吉の死後の18世紀はじめ、政治の実権を握った新井白石は、海舶互市新例を出して、長崎貿易のために来航する清とオランダの貿易船の数を制限し、金銀の流出を防ごうとした。白石は他にも、生類憐みの令を廃止するなど、さまざまな改革を行った。これら白石の行った政治を正徳の治という。しかし、十分な成果を上げることはできなかった。

× 3 新井白石は、朝鮮通信使の待遇を簡素化した。目的は徳川将軍の威信を高めるためであった。

○ 4 林子平は長崎でオランダ人から海外事情を聞き、ロシアの南下政策を知り、日本の国防の必要性を痛感。『海国兵談』(1787～91年)などの書物を出版し、世間に警戒をうながした。

しかし、寛政の改革を断行中の老中松平定信を中心とした幕府は、無用の説を立て、人心を惑わすものとして、子平を蟄居(部屋に引きこもらせること)させ、さらに囚人として江戸へ移送した。子平は不遇のうちに死去した。だが、子平の説いた国防論は先見性に富んでおり、後世に大きな影響を与えることになった。

× 5 伊能忠敬ではなく、幕府天文方の高橋景保である。このシーボルト事件により景保は投獄され、獄死した。シーボルトは国外追放となったが、その後、日本研究の第一人者となる。

伊能忠敬は下総(千葉県)で造り酒屋を営んでいたが、50歳から測量術や暦法などの学問を始め、その後、幕府からの命により日本全国の海岸を測量し、『大日本沿海輿地全図』を作成した。日本の近代地図の原型となり、その正確さは欧米諸国を驚愕させるほどであったという。

戦前の日本は、1933年に国際連盟を脱退して国際的に孤立するに至ったが、その直接の原因となった前年の出来事はどれか。

1 韓国併合
2 21カ条の要求
3 満州国の建国
4 江華島事件
5 ワシントン会議

重要度	❗❗❗	解答時間	2分	正解	3

1932年、日本は満州国を建国したが、翌年、国際連盟は満州国を認めず、日本の満州からの撤退を求めた。日本は国際連盟を脱退。

× 1 日露戦争後、日本は韓国の植民地化政策を進め、1910年、韓国を併合。
× 2 第一次世界大戦中の1915年、中国に21カ条の要求を行った。
○ 3 関東軍は南満州鉄道爆破をきっかけに満州を占領（満州事変、1931～32年）。溥儀(ふぎ)を執政とした満州国が建国されたが、日本の傀儡(かいらい)政権であった。国際連盟はリットン調査団を派遣、調査団は満州国を不承認。
× 4 1875年、日本軍艦が朝鮮半島西岸の江華島(こうかとう)付近を測量中、朝鮮側から砲撃を受け、反撃した事件。朝鮮が日朝修好条規を結ぶきっかけとなった。
× 5 第一次世界大戦後の1921～22年に開かれた、海軍軍縮などを決めた会議で、日本の海軍主力艦の保有比率が、英米に対して6割と定められた。

要点を整理しよう！

●日本が国際的に孤立化する道のりをたどってみよう

第一次世界大戦後の不況（1918年以降）➡関東大震災（1923年）➡満州事変（1931年）➡満州国建国（1932年３月）➡リットン調査団報告書（1932年10月）➡国際連盟、満州国不承認（1933年２月）➡国際連盟脱退（1933年３月）➡日中戦争（1937年～）➡日独伊三国同盟（1940年）➡太平洋戦争（1941年～）

過去

6 次はある人物の説明であるが、該当する人物は誰か。

薩摩藩出身で、薩長連合、王政復古に活躍した。新政府が成立すると、参与・参議として維新政府の中核に立ち、版籍奉還、廃藩置県を断行したほか、岩倉使節団に参加し、アメリカ・ヨーロッパを視察して、帰国後は国力の充実を主張して征韓論に反対した。征韓派参議が下野して後は参議兼内務卿として政府の中心となり、地租改正、殖産興業政策を推進した。

1 西郷隆盛
2 大久保利通
3 犬養毅
4 江藤新平
5 木戸孝允

重要度	! ! !	解答時間	2分	正解	2

西郷隆盛、大久保利通ともに薩摩藩出身だが、大久保は岩倉使節団に参加して、欧米を視察した。帰国すると、西郷らの征韓論に反対して、国内の整備を優先させた。

× 1 西郷隆盛は岩倉使節団に参加せず、留守政府の中心として活躍した。帰国後の大久保と対立を深め、西郷は政府を辞して、鹿児島に帰った。

○ 2 欧米近代国家の発展を見て、外征よりも内治が先であるとし、征韓論に反対した。

× 3 明治～昭和初期にかけての政治家。大正時代の護憲運動の中心人物。首相を務めていた1932年５月、五・一五事件で暗殺される。

× 4 佐賀藩出身で、明治政府では近代的司法制度を整備したが、佐賀の乱を起こし、処刑された。

× 5 長州藩出身で、西郷、大久保と並び、「維新の三傑」といわれる。幕末には桂小五郎と称した。

7 明治時代の殖産興業に関する記述として、妥当なのはどれか。

1 岩崎弥太郎の建議により郵便制度が発足した。

2 官営模範工場として富岡製糸場が設けられた。

3 日本銀行の設立と同時に国立銀行条例が制定された。

4 北海道開拓ではイギリス式大農場の移植をはかった。

5 前島密の経営する三菱会社が政府の保護を受けて発展した。

重要度	❢❢❢	解答時間	3分	正解	2

政府は、富岡製糸場などの官営模範工場をつくることにより、民間の製糸・紡績業の発展を促した。

× 1 前島密（ひそか）の建議。1871年、それまでの飛脚制度に代わって西洋式の郵便制度が発足した。1877年には、日本は万国郵便連合に加盟した。

○ 2 富岡製糸場は1872年、群馬県富岡（現在の富岡市）に開業。フランスから技士を招き指導にあたらせ、フランス製の機械を導入した。工場で働いていた女性（工女）の多くは士族の子女。93年に三井へ払い下げとなり、民間工場になった。2014年6月、世界文化遺産に登録された。

× 3 国立銀行条例は1872年、渋沢栄一が中心となり、制定された。翌73年、第一国立銀行が設立された。日本銀行の設立は、82年のこと。

× 4 日本政府は1869年、北海道に開拓使をおいて、アメリカ式の大農場の移植をはかった。その後、74年に屯田兵制度を導入、76年には札幌農学校（現在の北海道大学）を設立した。

× 5 岩崎弥太郎（やたろう）の経営である。日本政府は近海の海運の権利確立と軍事輸送のために、三菱会社（郵便汽船三菱会社）に保護を与えた。三菱会社は海運権を独占。その後1885年、三井系の共同運輸会社と合同して、日本郵船会社となった。

CHECKPOINT

●明治維新期に日本の経済発展に貢献した人物

- 前島密………越後高田藩士出身。明治政府では官僚としてイギリスの郵便制度を調査し、1871年に郵便制度を創設。「郵便」「切手」などの言葉も前島の考案。
- 渋沢栄一……武蔵国（埼玉県）の豪農出身。明治政府の大蔵省に勤め、税制・幣制改革に着手。退官後、第一国立銀行や大阪紡績会社等を設立。2024年7月発行の新1万円札の表の図柄である。
- 岩崎弥太郎…土佐藩郷士出身。貧困から身を起こし、1870年に土佐藩の海運事業を譲り受け、九十九商会を設立。政府から船舶の払い下げを受け、三菱会社に発展させ、三菱財閥の基礎を築いた。

5 世界史

過去

1 中国の各時代に関する記述として、妥当なものはどれか。

1 遺跡などで確認できる最古の王朝とされる周では、鉄器を用いていた。

2 春秋時代には、諸子百家と呼ばれる多くの学派が思想界に出現したが、続く戦国時代には弾圧された。

3 秦王の始皇帝が、中国史上最初の中央集権的統一国家を建設し、全国に郡県制を実施した。

4 項羽は旧勢力の支持を受けていた劉邦を破り、漢（前漢）王朝を樹立し、都を長安に定めた。

5 一度滅ぼされた漢王朝を再興（後漢）した煬帝（ようだい）は南京に都をおき、儒教を政治の基本とした。

重要度	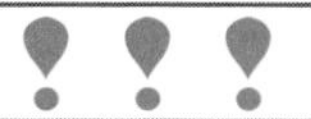	解答時間	3分	正解	3

秦の始皇帝は、それまでの封建制を廃止し、郡県制を実施、郡や県の長官には中央から人物を派遣する中央集権政治を行った。

× 1 現在、確認できる最古の王朝は殷である。殷では、鉄器ではなく、青銅器を用いていた。鉄器が現れたのは、春秋時代の末期とされる。

× 2 春秋時代・戦国時代ともに、諸子百家は各国に取り立てられた。儒教の祖である孔子は春秋時代末期の思想家で、孟子・荀子などは戦国時代の儒教思想家（儒家）である。

○ 3 始皇帝はさまざまな改革や大事業を行った。各国ごとに異なっていた貨幣・度量衡（ものさし・ます・はかり）・文字を統一。また、儒教を弾圧して、実用書以外の書物を焼き、儒者を生き埋めにした（焚書坑儒）。さらに、北方からの匈奴の侵入を防ぐため、万里の長城を築く。しかし、始皇帝の政治は人々を苦しめ、死後、まもなく秦は滅亡した。

× 4 農民出身の劉邦が、名門出身の項羽を破ったのが正しい。

× 5 劉秀（光武帝）が漢を再興し、洛陽を都とした。煬帝は隋の皇帝。

要点を整理しよう！

●古代中国から現代までの中国の王朝・国家を把握しよう

黄河文明➡殷（殷墟、青銅器文明、甲骨文字）➡周（封建制度）➡春秋・戦国（諸子百家）➡秦（始皇帝が統一）➡前漢（劉邦が建国、郡国制）➡後漢（紙の発明など）➡三国（魏・呉・蜀に分かれて勢力を争う）➡南北朝（北朝は北方の民族、南朝は漢民族）➡隋（煬帝、大運河建設）➡唐（貞観の治、開元の治～中国文化の最盛期）➡五代十国➡北宋（文治政治）➡金（女真族が中国へ進出）➡南宋（朱子学）➡モンゴル帝国（チンギス＝ハン）～元（フビライ＝ハン、モンゴル族を優遇）➡明（漢民族王朝再興）➡清（満州族王朝、アヘン戦争以降は半植民地化）➡中華民国（孫文らによる辛亥革命、アジア初の共和国）➡中華人民共和国（国民党との内戦に勝利した、毛沢東率いる中国共産党が樹立）

過去

2 イギリスのピューリタン革命に関する記述はどれか。

1 絶対主義の再建とカトリックの復活を図って議会と対立したジェームズ２世が亡命し、議会政治の基礎が確立された。

2 全植民地の代表がフィラデルフィアに集まって、第一回大陸会議が開かれ、やがてこの会議は革命の推進機関となった。

3 木綿工業の技術革新から始まり、蒸気機関が動力源になり、機械工業・製鉄業・石炭業に広がった。

4 議会派と王党派との対立が発展した内乱で、クロムウェルが王党派を破り、その後国王チャールズ１世を処刑して共和政を樹立した。

5 民衆が専制政治の象徴とみられていたバスティーユ牢獄を襲撃したことから各地に暴動が広がった。

重要度	❗❗❗	解答時間	3分	正解	4

1642年の内乱の始まりから、1649年にチャールズ１世を処刑し、共和政を樹立するまでを、ピューリタン革命（清教徒革命）という。

× **1** 名誉革命に関する記述。1688年、ジェームズ２世はフランスへ亡命、イギリス議会は王女メアリとその夫でオランダ総督のウィレムを共同統治の王として迎えた。両王は議会が提出した「権利の宣言」を承認し、「権利の章典」として発布。ここに議会が政治の主導権を握る立憲君主政が確立し、絶対王政は消滅した。

× **2** アメリカの独立革命（独立戦争）のことをいっている。植民地だったアメリカと本国イギリスの対立が深まり、植民地側は1774年、フィラデルフィアで第一回大陸会議を開き、抵抗を強めた。

× **3** 産業革命について述べたもの。産業革命は、綿工業などの軽工業から、製鉄・機械などの重工業へと波及していった。18世紀はじめにコークスによる製鉄法が開発され、工業用燃料は木炭から石炭へと代わり、鉄の生産量も飛躍的に増え、鉄製機械が普及していった。

○ **4** 清教徒革命ともいう。クロムウェルを中心とした議会派にピューリタンが多く、ピューリタン主義が革命の推進力になったので、このように呼ばれる。ピューリタンとは、イギリスのカルヴァン派のことで、禁欲と勤勉を旨とした。

× **5** フランス革命についての記述。フランス国王ルイ16世が議会を弾圧したため、不満をつのらせていた民衆は、1789年７月、バスティーユ牢獄を襲撃。ここにフランス革命が勃発した。

CHECKPOINT

●欧米における革命年表

1642～49	ピューリタン革命（英）	1776	アメリカ独立宣言（米）
1688～89	名誉革命（英）	1789～99	フランス革命（仏）
18世紀前半	産業革命始まる（英）	1804	ナポレオン皇帝になる（仏）
1775～83	アメリカ独立革命（米）	1815	ナポレオン失脚

過去

3 ギリシアのポリスに関する記述として、妥当なものはどれか。

1 他のポリスからの攻撃に対する防御体制を確立するため、市民が隣保同盟を組織し、連帯感を強めたポリスもあった。

2 ドーリア人の建てたアテネはポリスの代表的なもので、二つの王家を中心に、市民が貴族階級となり被征服民を支配した。

3 他民族と同様に氏族社会を形成していたギリシア人がポリスを形成していく背景には、青銅器の使用による生産力の向上があった。

4 ポリスには通常、中心市に守護神を祭るアクロポリスがあり、そのふもとのアゴラで会議・裁判・取引・社交が行われた。

5 ポリスは相互に対立することもあったが、市民は同一民族としての意識をもち、自らをバルバロイと呼び、異民族をヘレネスと呼んだ。

重要度	❗❗	解答時間	3分	正解	4

アクロポリスは宗教の中心。アゴラは経済や日常生活の中心であった。

× **1** 隣保同盟とは、防衛のための同盟ではなく、神殿と祭礼を共同のものとする宗教的な同盟であった。

× **2** ドーリア人の建てた代表的ポリスはスパルタ。市民は征服者として、被征服民を支配するため、「スパルタ式」といわれる軍国主義的な体制をつくった。アテネはイオニア人によるポリスであった。

× **3** 青銅器は、ギリシアのポリスが形成される以前のクレタ文明やミケーネ文明などのエーゲ文明において発達した。ギリシアのポリスが発展した時代は、鉄器時代になる。

○ **4** アクロポリスはポリスの中心となる丘で、市民が信仰する市の守護神を祭っていた。アゴラは公共広場で、ポリスの市民男子は一日の大半をここで過ごした。

× **5** ポリスの市民は自分たちのことをヘレネスと呼んだ。バルバロイは異民族に対する蔑称。

CHECKPOINT

●ギリシアの政治と文化

民主政治…18歳以上の男子が集まり、民会（集会）を開き、政治問題を議決したり、役人・裁判官などを選出したりした。ただし、女性や奴隷は参加できなかった。

経済活動…ポリスの市民は政治や軍事に携わったので、農業・手工業・鉱山労働などは、主に奴隷に任せられた。

哲学…政治のあり方や人生について深く考える。ソクラテス・プラトン・アリストテレスなどが活躍。

芸術…人間の美や壮大さを表現したものが多い。ミロのヴィーナス・パルテノン神殿・ホメロスの『イリアス』などの詩、ギリシア悲劇・喜劇。

競技会…オリンピアでは4年ごとに各地の人々が集まり、競技会が開かれた。

4 ウィーン体制に関する記述として、妥当なものはどれか。

1 フランスの提唱によって結ばれた四国同盟は、復古主義の運動を抑える現実的な力になった。

2 フランス革命前の絶対主義体制を正しいとするタレーランの正統主義の立場をとった。

3 ナポレオン没落後、戦後の秩序を大国の勢力均衡によって維持しようとする運動を敵視した。

4 新たな秩序は、国土の統一あるいは民族の独立を求める国民主義の立場をとった。

5 ロシア皇帝の提唱によって、ヨーロッパ各地に波及した自由主義を尊重する神聖同盟が成立した。

重要度	❗❗	解答時間	3分	正解	2

解説 **ウィーン体制は、ヨーロッパに秩序を回復し、フランス革命前の状態への復帰を目指した国際的な反動体制である。**

× 1 四国同盟は1815年に成立したもので、構成国はイギリス・ロシア・オーストリア・プロイセン。1818年、フランスも加盟して、五国同盟となった。四国同盟・五国同盟とも、ウィーン体制を補強するもので、復古主義であった。

○ 2 フランス外務大臣タレーランは、フランス革命前の主権と領土が正統であるとし（正統主義）、革命前の状態へ戻ることを主張した。ウィーン体制はタレーランの考えを基調としていた。

× 3 ウィーン体制は、ヨーロッパの秩序を大国の勢力均衡によって維持しようとしたものである。また、革命勢力の復活防止にも努めた。

× 4 ウィーン体制は革命前の状態を維持しようという反動体制であるから、新たに国土を統一したり、民族の独立を求めたりする動きには反対であった。

× 5 神聖同盟は、ウィーン体制を補強する反動的なものであるから、フランス革命とナポレオンのヨーロッパ支配によって広まった自由主義とは、相容れないものである。

要点を整理しよう！

●ウィーン会議とその中心人物を把握しよう

ウィーン会議…1814～15年に開かれた、フランス革命及びナポレオン戦争後の処理のための国際会議。ヨーロッパを革命前の状態に戻す正統主義が基本となった。

メッテルニヒ…オーストリアの政治家で、ウィーン会議を主宰した。ウィーン体制の中心的存在の反動主義者であったが、1848年に失脚。

タレーラン……フランスの貴族階級出身の政治家。正統主義を唱え、ウィーン会議ではフランスの戦争責任を回避した。

アレクサンドル１世…ロシア皇帝。初めは自由主義的考えをもったが、ナポレオン戦争後、反動体制に転向。神聖同盟を提唱・成立。

過去

5 次の各帝国に関する記述として、妥当なものはどれか。

1 ローマ帝国は4世紀末には完全に分裂し、西ローマ帝国は勢力を回復したが、東ローマ帝国は北方からの異民族侵入により滅びた。

2 ムガル帝国は16世紀はじめに、ティムールの子孫といわれるバーブルによって成立し、その孫である第3代皇帝アクバルが国政を完成させた。

3 オスマン帝国は16世紀のスレイマン1世の時代にとくに栄えたが、封建的な社会組織はすぐにゆきづまり、17世紀初めには滅びた。

4 モンゴル帝国はチンギス＝ハンによって13世紀初頭に形成され、彼の死後もモンゴル軍は遠征を続けたが、1241年のワールシュタットの戦いで大敗北を喫した。

5 ビザンツ帝国では7世紀以後アラビア語が公用語となり、イスラム文化とイスラム教を中心とする独自の文化を生み出した。

重要度	!!	解答時間	3分	正解	2

解説 **アフガニスタンに政権を立てたバーブルが、インドに入り、デリーを占領してムガル帝国をひらいた。また、その孫のアクバルはパキスタンからベンガルに至る北インドを統一し、ムガル帝国の基礎を固めた。**

× 1 4世紀末の395年、ローマ帝国は東西に分裂し、東ローマ帝国はビザンツ帝国として1453年まで存続したが、西ローマ帝国は秩序を回復することができず、476年に滅びている。

○ 2 アクバルは税制の改革を行い、土地面積をはかり税額を定め、貨幣を統一して財政を確立した。また、中央集権化をはかり、官制を改革、全国を州・県・郡に分け統治した。さらに、ヒンズー教との融和に努め、人頭税（ジズヤ）を廃止して、社会の安定をはかった。

× 3 オスマン帝国がスレイマン1世の時代に全盛期を迎えたことは正しい。ただし、オスマン帝国は18世紀以降、衰退しながらも存続し、第1次世界大戦後の1922年に滅びた。

× 4 ワールシュタットの戦いは、1241年、ポーランドのリーグニッツ南東で行われたモンゴル軍とドイツ・ポーランド軍との戦争である。モンゴル軍が勝利し、その後、モンゴルはヨーロッパにとって脅威となった。

× 5 ビザンツ帝国では7世紀以後、ギリシア語が公用語となり、9世紀以後、ギリシアの学問が復活し、ギリシア古典の研究が盛んになった。また、ビザンツ帝国には、西ヨーロッパとは異なるキリスト教が発達した。

CHECKPOINT

●ビザンツ帝国とオスマン帝国

ビザンツ帝国（395～1453年）
- 東ローマ帝国ともいう。
- 西ヨーロッパから離れて東方化し、独自のビザンツ文化を形成。
- 十字軍以降衰退。

オスマン帝国（1299～1922年）
- オスマン1世により建国。1453年ビザンツ帝国を滅ぼす。3大陸にまたがるイスラムの大帝国を形成。
- 1922年、トルコ革命により崩壊。

6 紀元前3000年頃につくられたエジプトの統一国家に関する記述として、最も妥当なのはどれか。

1 王が生ける神として専制的な神権政治をおこなった。
2 絵文字から発達した楔形文字が碑文や墓室・石棺などに刻まれた。
3 王（ファラオ）による統一国家が、メソポタミアに次いでつくられた。
4 エジプト人が用いた太陰暦はのちにローマで採用された。
5 エジプト人の宗教は太陽神ラーを中心とし、死後の世界を否定した。

重要度		解答時間	2分	正解	1

解説 古代エジプト文明と歴史を確認しよう。

○ **1** 王であるファラオは、太陽神ラーの子であると信じられ、専制政治をおこなった。

× **2** エジプト文明で絵文字から発達したのはヒエログリフ（神聖文字）と呼ばれる象形文字であり、碑文、墓室、石棺、神殿などに刻まれた。楔形文字はメソポタミア文明のもの。

× **3** メソポタミアでは、ウル、ウルク、ラガシュなどの都市国家が栄えた。エジプトでは、紀元前3000年頃に、上エジプト（ナイル川中上流域）の王メネスが、下エジプト（ナイル川下流域）を征服して、統一国家（統一王朝）が成立した。その後、古王国が成立する。

× **4** エジプト人が用いたのは太陽暦。メソポタミア文明で太陰暦が採用された。エジプト人は建築技術にもすぐれ、測量術や幾何学を発展させた。

× **5** 死後の世界を否定したのではなく、死後の世界や霊魂の不滅を信じていた。太陽神ラーの子であるファラオの死体は、腐敗しないようミイラにされ、保存された。

7 20世紀前半インドでは非暴力・不服従運動が展開されたが、その指導者として、妥当なのはどれか。

1 ナセル
2 キング
3 ガンディー
4 ティトー
5 スカルノ

重要度	!!!	解答時間	2分	正解	3

非暴力・不服従運動は、ガンディー独特の闘争方式。この闘争方式によりガンディーはイギリスに対抗。インド独立を勝ち取った。

× 1 ナセルはエジプトの指導者。1952年にエジプト革命を起こし、54年に首相（56年に大統領）となる。スエズ運河の国有化、アラブ連合共和国（エジプトとシリアの合併）創設など、アラブ民族運動の指導者として活躍した。

× 2 キングはアメリカ合衆国のキリスト教宗教指導者。1960年代、黒人に対する人種差別に抗議する公民権運動を、非暴力主義のもとに指導した。1968年、暗殺された。

○ 3 「インド独立の父」と称される。弁護士であり、南アフリカで人種差別と闘っていた。1915年、インドへ帰国後、国民会議派の指導者となり、植民地支配をしていたイギリスへの反英独立運動を展開。47年にインドは独立を果たした。48年、狂信的なヒンドゥー教徒により暗殺。

× 4 ユーゴスラビアの政治家。第二次世界大戦中はナチスドイツと戦う。戦後はスターリンと決別し、独自の社会主義路線を進め、西側諸国とも接近。1980年の死後、ユーゴスラビアは分裂、内戦を繰り返した。

× 5 スカルノはインドネシア独立の指導者、政治家。インドネシアはオランダの植民地であったが、第二次世界大戦での日本軍による占領後、日本と協力関係を保ち、戦後、独立を宣言。オランダと戦い勝利し、独立を達成。初代大統領となり、非同盟諸国のリーダーとして活躍。

6 地理

過去

1 海流に関する記述として、妥当なものはどれか。

1 日本海流は親潮とも呼ばれ、日本列島の太平洋岸を北上する寒流で、沖縄沖で日本海を北上する対馬海流を分流する。

2 リマン海流は、日本海を流れる寒流で、間宮海峡付近からシベリア沿海州の沖合をへて対馬海流と合流する。

3 千島海流は黒潮とも呼ばれ、北海道、東北日本の太平洋岸を南下する暖流である。

4 ラブラドル海流は、グリーンランド西方海域から北アメリカ大陸北東海域を南下する暖流である。

5 アラスカ海流は、カナダの海岸からアラスカ湾、アラスカ半島の沖合を流れる寒流である。

重要度	❗❗❗	解答時間	3分	正解	2

リマン海流は日本海の大陸沖合を南下する寒流で、朝鮮半島沖で、対馬海流と合流している。

× 1 日本海流は黒潮とも呼ばれる。暖かい南の海から北上してくる海流なので、暖流になる。沖縄沖で分流する対馬海流も暖流である。

○ 2 リマン海流はロシアの沿海州北部から間宮海峡をへて朝鮮半島東岸に達する。寒流のため水温は低いが、寒流性の魚類が多く、対馬海流と合流するあたりは好漁場となっている。

× 3 千島海流は親潮とも呼ばれる。北から南下してくる海流なので、寒流になる。プランクトンが多く、サケ・マス・タラ・サンマなど寒流性の魚類が豊富。三陸から千葉県の銚子沖で黒潮とぶつかり、付近は好漁場となる。

× 4 ラブラドル海流は寒流。カナダ東岸のニューファンドランド付近で、暖流のメキシコ湾流とぶつかり、付近は好漁場。

× 5 高緯度の海流だが、暖流である。この影響により、沿岸部の気候は緯度の割に温暖で、港は冬でも凍結しない。

要点を整理しよう！

●日本の気候区の特色を理解しよう

北海道気候区……冬は非常に寒く、夏は涼しい。降水量は比較的少ない。

日本海側気候区…冬に雪が多い。夏は高温になる。（東北地方の日本海側、北陸、山陰地方）

太平洋側気候区…冬は晴天が多く、乾燥する。夏は降水量が多い。（東北地方の太平洋側、関東、東海、近畿・四国地方の太平洋側、九州地方）

内陸性気候区……冬は寒く、夏涼しい。降水量は少ない。（長野県、岐阜県の飛騨地方など）

瀬戸内気候区……1年を通して雨が少ない。夏は高温。（近畿・中国・四国・九州地方の瀬戸内海側）

南西諸島気候区…1年中温暖で雨が多い。（沖縄県、鹿児島県の南西諸島部）

過去

2 東南アジアの国々に関する記述として、妥当なものはどれか。

1 イスラム教徒が多いインドネシアの中で、バリ島には仏教徒が多い。

2 マレーシアは単一民族であり、国民すべてがイスラム教を信仰している。

3 タイのアンコール王朝の繁栄は、大貯水池の建設と水利灌漑網にあった。

4 ベトナムの旧宗主国はイギリスで、1979年に資本主義国家として独立した。

5 シンガポールは赤道近くの島国で、中継貿易の基地として発展した。

重要度	❢❢❢	解答時間	3分	正解	5

シンガポールはマレー半島南端のシンガポール島と周辺の島々からなる。中継貿易の拠点として知られた。近年は工業、金融業などが発達。

× **1** インドネシアはイスラム教徒が人口の9割近くを占めるが、バリ島にはヒンズー教徒が多い。かつて、ジャワ島にイスラム教が入ったとき、ヒンズー教徒がバリ島に逃れた。

× **2** マレーシアは多民族国家。マレー系、中国系、インド系などからなる。宗教は主にマレー系はイスラム教、中国系は仏教、インド系はヒンズー教を信仰している。

× **3** アンコール王朝はカンボジアの王朝。9世紀初頭に成立、15世紀前半にタイのアユタヤ王朝によって滅ぼされた。アンコールワットはアンコール朝の代表的遺跡。

× **4** 旧宗主国はフランス。第二次世界大戦後、ベトナム戦争が長期間続いたが、1973年和平協定が成立、75年北ベトナムがサイゴン（現ホーチミン）に入城、76年に南北ベトナムが統一、ベトナム社会主義共和国となった。

○ **5** シンガポールも多民族国家で、中国系、マレー系、インド系などからなる。宗教は主に中国系は仏教、マレー系はイスラム教、インド系はヒンズー教を信仰し、他にキリスト教徒もいる。

要点 を整理しよう！

●東南アジアの主な国の特色を理解しよう

インドネシア…人口が約2億7800万人で、東南アジア最大の人口大国。
シンガポール…面積は淡路島とほぼ同じ。経済水準が高い。
タイ…仏教国で、世界第2位の米の輸出国。日本からの観光客が多い。
フィリピン…7600あまりの島からなる。カトリック教徒が多い。
ベトナム…ドイモイ（刷新）政策を進め、近代化・工業化が進む。
マレーシア…マハティール首相の時代に、農業国から工業国へと転身。
ミャンマー…民主化の傾向にあったが、軍の勢力が増している。

過去

3 都市に関する記述として、最も妥当なのはどれか。

1 いくつかの大都市が情報や交通などによって結ばれた都市群は、メトロポリスと呼ばれる。

2 都市はさまざまな機能を備えているが、キャンベラやエルサレムは宗教都市として知られている。

3 行政機関や大企業の本社などが集中する大都市の都心地域は、衛星都市と呼ばれる。

4 多くの人々やモノが集中し、他の都市の規模を大きく上回っている都市は、プライメートシティと呼ばれる。

5 都心地域の周辺部に位置し、中心業務機能の一部を分担する区域は、連接都市と呼ばれる。

重要度		解答時間	3分	正解	4

解説 **プライメートシティとはその地域の中で最大の規模で、第2位の都市を大きく引き離している都市のこと。**

× 1 メガロポリスの記述である。メトロポリスは巨大都市のこと。メガロポリスはアメリカ合衆国のボストン、ニューヨーク、フィラデルフィア、ボルチモア、ワシントンD.C.にいたる地域が代表例。

× 2 キャンベラはオーストラリアの首都で、計画都市といえる。エルサレムはユダヤ教、キリスト教、イスラム教の聖地。現在、イスラエルはエルサレムを首都としているが、国際的な承認は得ていない。

× 3 中心業務地区（C.B.D.=Central Business District）のこと。

○ 4 正しい。プライメートシティは一極集中を起こしやすい。

× 5 衛星都市のこと。連接都市はコナベーションともいい、異なる機能をもつ数個の都市が連接してできた地域のことをいう。

過去

4 次のうち、隣接する県や府の数が一番多い県はどれか。

1 静岡県
2 奈良県
3 岐阜県
4 新潟県
5 福島県

重要度	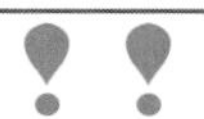	解答時間	3分	正解	3

岐阜県の隣接する県は、富山・石川・福井・滋賀・三重・愛知・長野の7県になる。なお、長野県が隣接する県が8県と最も多い。

× 1 静岡県の接する県は、神奈川・山梨・長野・愛知の4県。
× 2 奈良県の接する府県は、京都・大阪・和歌山・三重の4府県。
○ 3 岐阜県は内陸県で、7県と接する。
× 4 新潟県の接する県は、山形・福島・群馬・長野・富山の5県。
× 5 福島県の接する県は、宮城・山形・新潟・茨城・栃木・群馬の6県。

CHECKPOINT

●都道府県と県庁所在地の特色

内陸県➡栃木県、群馬県、埼玉県、山梨県、長野県、岐阜県、滋賀県、奈良県
太平洋と日本海の両方に面する地域➡北海道、青森県
瀬戸内海と日本海の両方に面する地域➡兵庫県、山口県
都道(府)県名と県庁所在地名が異なる地域➡北海道（札幌市)、岩手県（盛岡市)、宮城県（仙台市)、茨城県（水戸市)、栃木県（宇都宮市)、群馬県（前橋市)、埼玉県（さいたま市)、東京都（新宿区)、神奈川県（横浜市)、石川県（金沢市)、山梨県（甲府市)、愛知県（名古屋市)、三重県（津市)、滋賀県（大津市)、兵庫県（神戸市)、島根県（松江市)、香川県（高松市)、愛媛県（松山市)、沖縄県（那覇市)

過去

5 世界の農業に関する記述として、最も妥当なものはどれか。

1 アメリカのオハイオ州からアイオワ州にかけての比較的湿潤な地域は、シリコンヴァレーとよばれ、とうもろこしや大豆を中心とした飼料作物の輪作と家畜飼育が伝統的に行われてきた。

2 オーストラリアで生産される畜産物のなかで、日本への輸出が急速にのびている豚肉は、オージーポークとよばれ、日本の輸入額のうち80パーセント以上を占めている。

3 インドの東部や沿海部は小麦、北部の内陸部は米の栽培が多く、小麦と米の生産量はともに世界第1位である。

4 西アジアから中央アジアにかけては、湧水や河川の近くにオアシスがあり、地下水路を利用して、なつめやしや野菜、すいかやメロンのような果物を栽培するオアシス農業が成立した。

5 西岸海洋性気候の影響を受けるヨーロッパの大西洋沿岸地域では、大規模経営の混合農業が発達し、内陸部では農業協同組合による酪農が発達した。

重要度	❢❢❢	解答時間	3分	正解	4

アジアの乾燥地帯では、地下水路を利用したオアシス農業が行われる。

× 1 シリコンヴァレーではなく、コーンベルト（とうもろこし地帯）とよばれる。シリコンヴァレーはカリフォルニア州サンフランシスコ南東のサンノゼ周辺にある、半導体工場やハイテク企業の集まる地域をいう。

× 2 豚肉ではなく牛肉で、オージービーフとよばれる。日本の2023年度輸入牛肉国別シェアでは、オーストラリアは41.4パーセント。

× 3 インドの東部や沿海部は米、北部の内陸部は小麦の栽培が多い。2022年の統計では、米、小麦ともに生産量世界一は中国。2位がインド。

○ 4 地下水路で農地や集落まで水を引いている。地下水路は一般には数km、長いものでは40kmにもなる。地下水路にするのは、水の蒸発を防ぐためである。また、地域によって名称が異なり、イランではカナート、アフガニスタンやパキスタンではカレーズ、北アフリカではフォガラとよばれる。

× 5 ヨーロッパの大西洋沿岸地域で混合農業が発達しているというのは正しい。農業協同組合による酪農が発達したのは、デンマークになる。

CHECKPOINT

●世界の主な農業

遊牧…牧草地を求めて移動。羊・ヤギ・ラクダ・トナカイなどを飼育。
焼畑農業…熱帯地方の焼畑による粗放的原始農業。近年は減少。
オアシス農業…砂漠など乾燥地のオアシス周辺の農業。果物・野菜などを栽培。
集約的自給農業…アジアの稲作など。手作業が主なので、効率は悪い。
企業的牧畜…商業的で大規模な経営。牛や羊などを放牧。
プランテーション農業…熱帯地方に多い。その地域の特産品を単一耕作。
地中海式農業…地中海性気候の地域で、乾燥に強いオリーブや果樹を栽培。
混合農業…ヨーロッパやアメリカ中部でさかん。農耕と家畜飼育の有機的結合。
酪農…乳牛飼育が中心。北欧やアメリカの五大湖沿岸、北海道などでさかん。
園芸農業…野菜・花き・果物が中心。輸送に便利な大都市の近郊で発達。

国土地理院が定める地図記号とその名称の組み合わせとして、最も妥当なのはどれか。

A 
B 
C 
D 

	A	B	C	D
1	警察署	病院	老人ホーム	裁判所
2	消防署	保健所	博物館	裁判所
3	警察署	病院	図書館	針葉樹林
4	消防署	保健所	老人ホーム	針葉樹林
5	警察署	保健所	博物館	税務署

重要度	❗❗❗	解答時間	2分	正解	1

解説 **国土地理院の定める地図記号は、同院発行の地形図をはじめ、我が国の多くの地図に利用されている。**

A 警察署（ ⊗ ）…警察官の警棒を交差させた形を記号にしたもの。交番の記号（ X・ ）と区別するために○で囲んでいる。消防署は、昔、火消しが使っていた「さすまた」の形を表す（ Y ）である。

B 病院（ ・ ）…旧日本陸軍の衛生隊のしるしを基にしたという。個人経営の病院や診療所は表さない。保健所の記号（ ⊕ ）は、病院の記号を参考に形を変えたもの。

C 老人ホーム（ ）…2006（平成18）年に誕生した地図記号。ステッキと家をデザイン化した。博物館の記号は（ ・ ）で、美術館や歴史館もこの記号で表す。図書館の記号は（ ）で、公立の図書館を表しており、博物館の記号とともに、2002年に定められた。

D 裁判所（ ）…昔、裁判所は国民に立て札を立てて告示したことから、立て札を記号化した。なお、最高裁判所は名前で表し、この記号では表記しない。似た形の針葉樹林の記号（ Λ ）は杉などを横から見た様子。税務署の記号は（ ）で、そろばん玉をデザイン化したもの。

要点を整理しよう！

●主な地図記号

・建物記号

市役所	町村役場	神社	寺院	郵便局	小・中学校	高等学校	発電所等

・植生

田	畑	果樹園	茶畑	広葉樹林	ハイマツ地	荒地

※2つ記号が併記されているものは右側が、国土地理院が外国人向けに決定した地図記号。

気候・気象に関する記述中の空所ア～エに当てはまる語句の組み合わせとして、妥当なのはどれか。

風は気圧の高いところから、低いところへ向かって吹き、低圧帯と高圧帯の分布によって大規模な風の流れ（大気大循環）がつくられる。

赤道付近では上昇気流が起こり赤道低圧帯に、緯度20～30度付近では下降気流が卓越して中緯度高圧帯になる。この高圧帯から赤道低圧帯に向かって（　ア　）、亜寒帯低圧帯に向かって（　イ　）が吹く。また、海と陸の間での温まりやすさ、冷えやすさ（比熱と熱容量）の違いから、（　ウ　）は陸から海へ、（　エ　）は海から陸へと風向きを変える季節風が現れる。

	ア	イ	ウ	エ
1	貿易風	偏西風	冬	夏
2	貿易風	偏西風	夏	冬
3	極東風	貿易風	冬	夏
4	極東風	貿易風	夏	冬
5	偏西風	極東風	冬	夏

重要度	!!	解答時間	3分	正解	1

赤道付近の低緯度地方では、中緯度高圧帯から赤道に向かう東寄りの風（貿易風）が常に吹き、中・高緯度地方では、中緯度高圧帯から極地方に向かう西寄りの風（偏西風）が常に吹く。

貿易風…中緯度高圧帯から赤道低圧帯へ吹き込む恒常風。地球の自転の影響で、北半球では北東からの風（北東貿易風）、南半球では南東からの風（南東貿易風）になる。

偏西風…中緯度高圧帯から亜寒帯低圧帯へ吹き込む恒常風。地球の自転の影響で、北半球では南西からの風、南半球では北西からの風になる。日本や東南アジアなどの大陸東岸では、季節風（モンスーン）の発達などにより、偏西風は不明瞭になる。一方、イギリスやヨーロッパ大陸の西岸では、はっきりとした偏西風がみられる。

極東風…北極・南極地方にある極高圧帯から亜寒帯低圧帯に吹く恒常風。寒冷な風で、地球の自転の影響により、東からの偏東風となる。

季節風（モンスーン）…広範囲にわたり、冬と夏で風向きが正反対になる風。冬は大陸に高気圧ができ、大洋上には低気圧ができるので、陸から海へと風が吹く。夏は大洋上に高気圧ができ、大陸には低気圧ができるので、海から陸へと風が吹く。日本では、冬はシベリアからの北西の冷たい風、夏は太平洋からの南東の暖かい風が吹き、典型的な季節風がみられる。

要点 を整理しよう！

●ケッペンによる気候の分類

気候帯	気候区	特徴	気候帯	気候区	特徴
熱　帯（A）	熱帯雨林気候区（Af、Am）	年中多雨または弱い乾季あり	最寒月－3℃未満 亜寒帯（D）（冷帯）	亜寒帯湿潤気候（Df）区	年中多雨
最寒月18℃	サバナ気候区（Aw）	強い乾季あり	最暖月10℃	亜寒帯冬季少雨気候（Dw）区	冬に少雨
温　帯（C）	温暖冬季少雨気候（Cw）区	冬に少雨	寒　帯（E）	ツンドラ気候区（ET）	最暖月の平均気温0～10℃
	地中海性気候（Cs）	夏に少雨		氷雪気候区（EF）	最暖月の平均気温0℃未満
	温暖湿潤気候区（Cfa）	年中多雨 夏は高温	乾燥帯（B）	砂漠気候区（BW）	年降水量きわめて少ない
最寒月－3℃	西岸海洋性気候（Cfb、Cfc）区	年中多雨 夏は冷涼	降水量<蒸発量	ステップ気候区（BS）	年降水量少ない

SECTION 2 人文科学

7 倫理

過去

1 **A、Bは有名な哲学者のことばであるが、それぞれ該当する哲学者の組み合わせとして妥当なものはどれか。**

A「われ思う、ゆえにわれあり」　B「人間は考える葦である」

	A	B
1	ソクラテス	アリストテレス
2	カント	ヘーゲル
3	ベーコン	デカルト
4	デカルト	パスカル
5	パスカル	ベーコン

重要度		解答時間	2分	正解	4

「われ思う、ゆえにわれあり」はデカルトの、「人間は考える葦(あし)である」はパスカルのことばである。

デカルトは17世紀に活躍したフランスの哲学者。「われ思う、ゆえにわれあり」は、デカルトが真理の探究のため、あらゆるものを疑った結果、到達したことばで、「あらゆるものを疑ったところで、このように疑っている私の意識と精神の存在は否定できない」という意味である。

パスカルは17世紀のフランスの哲学者・数学者。「人間は考える葦である」は、パスカルの人間観察の結果、生まれたことば。「人間は広大な宇宙に比べると、ほとんど無に等しい一本の葦に過ぎない。しかし、人間は考える葦である。そこに人間の尊厳がある」という意味。

ソクラテスは古代ギリシアの哲学者。人間は無知を自覚して、何が本当に大切なのかという知（知恵）を求め、それを知ること（無知の知）で、初めて善と悪を見分けることができると説いた。何が本当に大切なのかという知を追究し、そのことに気を配って生きることが、よく生きることにつながり、徳を実現することにもなるとした。そして、究極的には、知と徳は一体のものでなくてはならないという、知徳合一の考えを主張した。

アリストテレスは古代ギリシアの哲学者で、プラトン（ソクラテスの弟子）の弟子。人間の徳として重要なのは、知性的徳だけではなく、倫理的徳（人柄のよさ）であるとした。また、どんなによい行いでも過剰であれば不足と同様悪いものになるので、適度さが重要であり、人間の最上の状態は、中庸において発揮されると説いた。

カントは18世紀のドイツの哲学者。イギリス経験論と大陸合理論とを批判的に統合し、ドイツ観念論を打ち立てた。人格尊重の精神と批判精神を重視。

ヘーゲルは18～19世紀にかけてのドイツの哲学者。カントのドイツ観念論を大成。人倫の形態は、家族→市民社会→国家という段階を経て、弁証法的に発展・具体化すると説いた。

ベーコンは16～17世紀にかけてのイギリスの哲学者・政治家。実験と観察を重視、イギリス経験論哲学の祖で、4つのイドラ（種族・洞窟・市場・劇場）の排除を説き、帰納法を確立した。

過去

2 **次のうち、ドイツの哲学者ハイデッガーに関する記述として、妥当なものはどれか。**

1 なにかが存在すること自体を問題として、人間存在の基本規定から出発した。

2 キリスト教のいう同情や博愛、謙遜や忍耐はすべて弱者の道徳であると考えた。

3 神に代わる主体的な人間像として、力への意志を目指す「超人」を創出した。

4 『ツァラトゥストラはかく語りき』、『悲劇の誕生』などの作品を刊行した。

5 19世紀の混乱と頽廃にまみれたニヒリズムの時代を「神は死んだ」と規定した。

重要度	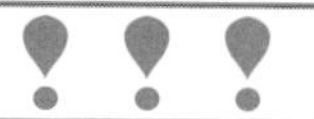	解答時間	3分	正解	1

ハイデッガーは、ドイツの実存主義的思想家。現存在としての人間は、死という有限性を自覚することで、本来の自己の生き方である実存に達するとした。

○ 1 ハイデッガー（1889～1976年）は、人間を「現にここにある存在＝現存在」という言葉で表した。
× 2 ニーチェ（1844～1900年）に関する記述である。
× 3 ニーチェに関する記述である。
× 4 ニーチェに関する記述である。
× 5 ニーチェに関する記述である。
ニーチェは、現代の人間は人生の目標を失い、ニヒリズムへ陥っていくと主張し、最大の原因をキリスト教にあるとした。キリスト教の道徳観を弱者の道徳とし、「神は死んだ」と規定、「力（権力）への意志」を持ち、強さと創造力によって、超人を目指すべきであると唱えた。

CHECKPOINT

●19～20世紀の思想家と業績・作品

ヘーゲル…弁証法を取り入れ、ドイツ観念論（理想主義）を完成。
ベンサム…功利主義を確立。最大多数の最大幸福の原理を説いた。
ショーペンハウアー…厭世(えんせい)的世界観の哲学を展開。
サン＝シモン…社会主義者。平等社会の実現を求めた。
プルードン…社会主義者。私有財産と国家の廃止を主張。『財産とは何か』
キルケゴール…実存主義哲学の先駆者。『死に至る病』
フォイエルバッハ…ヘーゲル学派だが、ヘーゲルを批判。唯物論を唱える。
コント…実証主義を唱え、社会学の基礎を確立。
オーウェン…工場経営者で、労働者の労働環境改善に取り組む。工場法に尽力。
マルクス…唯物史観により、社会主義への移行の必然性を説く。『資本論』
ヤスパース…理性と実存の関係を説き、「神を目指す実存主義」といわれる。
サルトル…単なる物と違って、人間は実存が本質に先立つと主張。

過去

3 生命倫理に関する記述として、妥当なのはどれか。

1 これまでの医療は患者が医師にすべてをゆだねて治療を受ければよいとするインフォームド・コンセントであったが、これをやめ、現在の医療は患者が医師から病気の診断や治療法等の説明を受け、患者の同意の下に治療を行うパターナリズムがとられている。

2 今世紀に入って、ヒトの遺伝情報の全体を解読しようとするクローン技術が発達したことにより、ヒトが生まれ、成長し、老いて病気になってゆく身体の仕組みが、細胞レベルで明らかになった。

3 死については、心臓死と脳死があるが、わが国では、臓器移植のため臓器を摘出する場合に限り、心臓死が人の死と認められるようになった。

4 生命の価値は絶対であるとするQOL（生命の質）の立場から見れば、どのような場合でも延命のために努力すべきであることになる。

5 自分が末期の状態になったときのことを想定し、医師にあらかじめ延命治療を行わないことを依頼する書面を「リビング・ウィル」という。

重要度	❢❢	解答時間	3分	正解	5

解説 リビング・ウィルは「生前の意思」という意味。

× 1 インフォームド・コンセントとパターナリズムが反対。パターナリズムはもともとは「父権主義」という意味で、医療においては、インフォームド・コンセントを行わず、医師主導で治療をすることなどをいう。

× 2 ゲノムの解読技術が発達したのである。ゲノムとは、生物のもつ遺伝情報全体のことをいう。2003（平成15）年にヒトゲノムの解読が完了。

× 3 臓器移植のため臓器を摘出する場合に限り、脳死が人の死と認められるようになった。本人の書面による臓器提供の意思表示があり、遺族がこれを拒否しないときという条件がつく。また、本人の意思が不明な場合でも家族の承諾で可能となった。

× 4 生命の価値は絶対であるとするのは、「SOL（生命の尊厳）」。SOL（Sanctity of Life（サンクティティ オブ ライフ））とは生命の維持を何より優先すること。

○ 5「生前の意思」という意味が転じて、「延命治療を行わず、尊厳死を選択する」などの意思表示、またはそれを依頼する書面を指す。

CHECKPOINT

●現代医療の考え方

- インフォームド・コンセント…「説明を受けた上での同意」の意味。医療に関しての決定権は患者にあり、医師は患者へ十分な説明を行い、情報を提供し、患者は納得・同意して治療方針を決める。現代医療において、医師と患者の関係の基礎になるべきものである。
- QOL（Quality of Life（クオリティ オブ ライフ））…「生活の質」の意味。近年は治療中の患者でも、できるだけ快適に生活する権利があるとされる。例えば、抗がん剤を投与され、苦しみながら生活するのでは、これが高いとはいえない。
- セカンド・オピニオン…「第二の意見」の意味。最初の医師の説明・診断・治療法に納得がいかないとき、または念のために確認したいときなどに、他の医師や医療機関の意見や診断を参考にすること。

我が国の幕末から明治時代の思想家に関する記述として、最も妥当なのはどれか。

1 杉田玄白と渡辺崋山は「解体新書」を訳述し、オランダ医学の普及に努め、玄白はその苦労を「蘭学事始」という書物に書き残した。

2 佐久間象山は、アヘン戦争における清の敗北を「東洋の道徳や技術の敗北」と表現し、西洋の道徳観や技術を積極的に受け入れるべきであると主張した。

3 吉田松陰は、万民の天皇に対する忠誠という「一君万民論」を説いたほか、松下村塾で多くの門下生を教育した。

4 緒方洪庵は、オランダ医学を学び、私塾である「鳴滝塾」を主宰し、医学に限らず当時の最先端の学問を教授した。

5 福沢諭吉は、「百学連環」（統一科学）の樹立を「ヒロソヒー」といい、これを「哲学」と訳したほか、「理性」「主観」「客観」など多くの哲学用語を考案した。

重要度	❢❢❢	解答時間	3分	正解	3

解説 **吉田松陰は幕末の思想家で、松陰の開いた松下村塾からは、高杉晋作、山県有朋、伊藤博文など多くの人材が輩出された。**

× 1 渡辺崋山（わたなべかざん）ではなく前野良沢（まえのりょうたく）が、杉田玄白とともに「解体新書」(1774年刊行）を訳述した。渡辺崋山は三河田原藩士で蘭学者、画家であった。

× 2 佐久間象山（さくましょうざん）は「東洋道徳・西洋芸術」を唱え、道徳や政治体制などは日本の伝統を守り、科学技術面では西洋のものを積極的に受け入れるべきであると主張した。

○ 3 吉田松陰（よしだしょういん）は長州藩士で佐久間象山に師事した。幕末の志士の思想に大きな影響を与えるが、井伊直弼（いいなおすけ）による安政の大獄で刑死。

× 4 「鳴滝塾（なるたきじゅく）」ではなく「適塾（てきじゅく）」。福沢諭吉、大村益次郎らが学んだ。「鳴滝塾」はシーボルトが開いた医学塾。

× 5 西周（にしあまね）のことをいっている。津和野藩医の家に生まれ、オランダに留学し、政治・法律を研究、西洋哲学を日本に紹介した。軍制（軍隊の制度）を確立したことでも知られる。

CHECKPOINT

●明治の文明開化の時代に活躍した主な思想家・教育者

- 福沢諭吉…啓蒙思想家、教育者。「西洋事情」「学問のすゝめ」「文明論之概略」などを著し、西洋の思想を日本に紹介。後年は「脱亜入欧」を説く。慶應義塾の創設者。
- 大隈重信…政治家、教育者。明治新政府で大蔵卿、参議などを歴任。国会の早期開設を主張。下野後は立憲改進党の党首、その後、首相も務める。早稲田大学の前身である東京専門学校を創設。
- 中村正直（なかむらまさなお）（敬宇（けいう））…教育者。イギリスに留学し、帰国後、東京女子師範、東京大学などで教授を務める。イギリスのS・スマイルズの“Self-Help”を「西国立志編（さいごくりっしへん）」として翻訳し、西洋の個人主義道徳を紹介した。
- 中江兆民…思想家。フランス流の自由民権論を説く。フランスの思想家ルソーの「社会契約論」を「民約訳解」に翻訳、紹介した。

8 国語

過去

1 対義語の組合せとして、最も妥当なのはどれか。

1 世事 — 世辞
2 起工 — 竣工
3 案外 — 意外
4 承認 — 是認
5 機知 — 機転

重要度		解答時間	2分	正解	2

解説 **熟語を習得するときには対義語や類義語など、言葉を体系づけて理解しよう。**

× 1 「世事」は世間の事柄、世の中のできごと。「世辞」は他人に対する愛想のよい言葉。

○ 2 「起工」は工事を始めること。「竣工」は工事が完了して出来上がること。対義語である。

× 3 「案外」は予想したことと違うさま。思いのほか。「意外」は考えていた状態と非常に違っていること。類義語である。

× 4 「承認」はその事柄が正当だと認めること。「是認」はよいとして、またはそうだとして、認めること。類義語である。

× 5 「機知」はその場に応じて働く鋭い知恵。「機転」は状況に応じてとっさに心が働き、うまい考えがわくこと。類義語である。

過去

2 『十六夜日記』の作者として、最も妥当なのはどれか。

1 阿仏尼
2 紀貫之
3 菅原孝標女
4 藤原長子
5 藤原道綱母

重要度	!!	解答時間	2分	正解	1

解説 **中世の女性の旅日記。京都から鎌倉に下向するときの東海道の旅日記と鎌倉滞在記からなる。**

○ 1 鎌倉中期の女性歌人。安嘉門院（あんかもんいん）に仕えて四条と呼ばれ、藤原為家（ふじわらのためいえ）の側室となる。『十六夜日記（いざよいにっき）』は荘園相続争いで子のために訴訟を起こそうと鎌倉に下ったときの紀行文。出家して阿仏（あぶつ）。

× 2 紀貫之（きのつらゆき）は平安時代の歌人。三十六歌仙の一人で、『土佐日記（とさにっき）』の作者。貫之が任期を終え都へ帰るまでの出来事を、女房の見聞録として記した。『古今和歌集』の撰者。

× 3 菅原孝標女（すがわらのたかすえのむすめ）は平安時代の女流文学者。『更級日記（さらしなにっき）』の作者。この日記は一女性のさまざまな体験を回想的に書いたもの。

× 4 藤原長子（ふじわらのながこ（ちょうし））は平安時代の女官、歌人。『讃岐典侍日記（さぬきのすけにっき）』の作者。堀河天皇の発病から崩御とその後の思いを記したもの。

× 5 藤原道綱母（ふじわらのみちつなのはは）は平安時代の歌人。『蜻蛉日記（かげろうにっき）』の作者。21年間にわたる夫との生活や息子への思いを記した回想録。

過去

3 古今和歌集に収められている和歌の組合せとして、最も妥当なのはどれか。

ア 色見えで移ろふものは世の中の人の心の花にぞありける （小野小町）
イ 君ならで誰にか見せむ梅の花色をも香（か）をも知る人ぞ知る （紀友則）
ウ 心なき身にもあはれは知られけりしぎ立つ沢の秋の夕暮 （西行）
エ 験（しるし）なき物を思はずは一坏（ひとつき）の濁れる酒を飲むべくあるらし （大伴旅人）
オ 見渡せば山もとかすむ水無瀬川夕べは秋となに思ひけむ （後鳥羽院）

1. ア、イ
2. ア、エ
3. イ、ウ
4. ウ、オ
5. エ、オ

重要度		解答時間	3分	正解	1

万葉集、古今和歌集、新古今和歌集の成立年代と特色、主な撰者と歌を確認しよう。

ア　古今和歌集。草木の花ならば色あせていく様子が見えるが、色にも現れないであせてしまうものは、人の心という花であったのだ。

イ　古今和歌集。あなた以外の誰に見せようか、この梅の花を。色の素晴らしさも香りの素晴らしさもあなただけがわかってくれるのだから。

ウ　新古今和歌集。もののあわれなど解する心のない我が身にもしみじみとした情緒は感じられることだ。鴫(しぎ)の飛び立つ沢の夕暮れの景色を見ると。

エ　万葉集。しても甲斐のない物思いなどをするよりは、一杯の濁り酒を飲むべきであるらしい。

オ　新古今和歌集。見渡すと山のふもとは霞み、そこを水無瀬川(みなせがわ)が流れている。夕べの趣は秋に限るなどとどうして今まで思っていたのであろう（こんなに素晴らしい春の夕べがあるのも知らないで）。

要点を整理しよう！

●三大歌集を整理する

- 万葉集…成立は奈良時代後期。現存最古の歌集。撰者は大伴家持(おおとものやかもち)。主な歌人には額田王(ぬかたのおおきみ)、柿本人麻呂(かきのもとのひとまろ)、大伴旅人(おおとものたびと)、山上憶良(やまのうえのおくら)ら。歌風の展開は第一期から第四期の四つに分けられる。
- 古今和歌集…成立は平安時代初期。最初の勅撰和歌集。撰者は紀貫之(きのつらゆき)、紀友則(きのとものり)、凡河内躬恒(おおしこうちのみつね)、壬生忠岑(みぶのただみね)。読み人知らずの時代、六歌仙の時代、撰者の時代の三つの時代に分けられる。六歌仙は僧正遍昭(そうじょうへんじょう)、在原業平(ありわらのなりひら)、文屋康秀(ふんやのやすひで)、喜撰法師(きせんほうし)、小野小町(おののこまち)、大友黒主(おおとものくろぬし)をいう。
- 新古今和歌集…成立は鎌倉時代初期。撰者は源通具(みなもとのみちとも)、藤原有家(ふじわらのありいえ)、藤原定家(ふじわらのさだいえ)、藤原家隆(ふじわらのいえたか)、藤原雅経(ふじわらのまさつね)、寂蓮(じゃくれん)。主な歌人には西行(さいぎょう)、慈円(じえん)、藤原良経(ふじわらのよしつね)、藤原俊成(ふじわらのとしなり)、式子内親王(しきしないしんのう)ら。

過去

4 敬語の使い方が妥当なものはどれか。

1 家族一同でおいしく召し上がりました。
2 風の強い寒い日にお呼び立てして、申し訳ございません。
3 あの件については先方も、快く承ってくださいました。
4 課長は、その件について存じていらっしゃいますか。
5 部長、タクシーを手配して上げましょうか。

重要度	!!	解答時間	3分	正解	2

解説 **相手に関することについては尊敬語、自分に関することについては謙譲語を用いる。この点に注意すれば、間違いが見えてくる。**

× 1 「召し上がる」は尊敬語なので、自分たちの行動を言う場合は、「いただきました」が正しい。
○ 2 目上の人などの場合は、「呼んで」ではなく「お呼び立てして」という表現にする。
× 3 「承る」は謙譲語なので、「了承してくださいました」「承諾してくださいました」などの表現にする。
× 4 「存じる」は謙譲語なので、「ご存じでいらっしゃいますか」などの表現にする。
× 5 「〜して上げる」は目下の人に対する表現。上司に対しては、自分の行為に謙譲語を用いて「手配いたしましょうか」という表現にする。

要点を整理しよう！

●尊敬語と謙譲語を覚えよう

	尊敬語	謙譲語
行く	いらっしゃる・行かれる	まいる・うかがう
来る	いらっしゃる・来られる・お見えになる	まいる
食べる	召し上がる・お食べになる	いただく

5 1から5の中で、漢字の表記が正しいものはどれか。

1 市会議員に立候補することを薦められた。
2 私は学級委員を勤めている。
3 けがをした友人の変わりに試合に出た。
4 コピーで縮少したら、字が読みにくくなった。
5 陰で悪口を言う人はきらいだ。

重要度		解答時間	1分30秒	正解	5

読みが同じで内容によって使い分けなくてはいけない漢字は、熟語や反対語を考えてみると判断できる。

× 1 立候補することをすすめられる場合は「勧められた」が正しい。候補者として誰かを「推薦する」場合は「薦」を用いる。
× 2 「務めている」が正しい。何かの「任務」に当たる場合は「務める」、会社などに「勤務」する場合は「勤める」、「努力する」場合は「努める」。
× 3 友人の「代理」で出たのだから、「代わりに」が正しい。「お変わりありませんか」のように、様子や状態に「変化」がある場合は「変」。
× 4 コピーで小さくするのだから「縮小」が正しい。反対語は「拡大」。
○ 5 光が当たらない所は「陰」、光がさえぎられてできるものを「影」。

CHECKPOINT

●同訓異字の漢字に気をつけよう

静める：音や声がしないように静かにさせる。
鎮める：気持ちの乱れや動乱などをおさめる。

責める：相手を言葉などで追いつめたり、咎(とが)めたりする。
攻める：攻撃する。

訪ねる：おとずれる。訪問する。
尋ねる：どこにいるか分からないものを探す。質問する。

過去

6 ことわざ、慣用句の説明として、妥当なものはどれか。

1 「他山の石」とは、他人には大変な事でも自分にとっては何の関係もないこと。
2 「青菜に塩」とは、タイミングよく欲しいものが手にはいること。
3 「愁眉を開く」とは、心配ごとがなくなって安心すること。
4 「枯れ木も山のにぎわい」とは、人が集まればにぎやかになること。
5 「目をかける」とは、嫌な相手の行動を監視すること。

重要度		解答時間	3分	正解	3

日常の会話でよく使われるが、案外正しい意味を知らない人が多い。まめに辞典を引いて正確に覚えておこう。

× 1 正確には「他山の石以(もっ)て玉を攻(おさ)むべし」。中国の『詩経(しきょう)』にある言葉で、よその山にある粗悪な石でも、自分の持っている玉を磨くのには役に立つということから、「他人のつまらない行いでも、自分の人格を磨くのには役に立つ」という意味で使われる。

× 2 青菜に塩を振りかけるとしなっとしてしまうことから、元気がなく、しおれている様子をいう言葉。

○ 3 「愁眉(しゅうび)」は、心配ごとがあるために眉をしかめている様子で、「愁眉を開く」は「心配ごとがなくなってしかめた眉を開いて安心する」ことをいう。

× 4 「枯れ木も山のにぎわい」とは、たとえ枯れ木でも、あれば山に趣きを添える、ということから、「つまらないものでも、数に入れておけば何もないよりまし」という意味で使われる。自分のことを謙遜してこのことわざを使うのはいいが、目上の人に対して使うのは失礼に当たるから、気をつけよう。

× 5 「目をかける」とは、「その人をひいきにする」こと。

過去

7 次のA～Fは四字熟語であるが、どの□にも当てはまらない漢字はどれか。

A 奇□天□　　B □果□報　　C 曲□□世
D 紆□曲□　　E □心暗□　　F □面□歌

1 疑
2 創
3 折
4 阿
5 応

重要度	!!!	解答時間	3分	正解	2

解説 **A～Fはどれも試験によく出題される四字熟語なので、きちんと覚えておくことが大切。**

A 「奇想天外」(考えがふつうでは思いもよらないほど奇抜なこと)
B 「因果応報」(よい行いをすればよい報いがあり、悪い行いをすれば悪い報いがあるということ)
C 「曲学阿世」(真理をまげてその時代の好みに合わせ、世間の人に気に入られるような説を唱えること)
D 「紆余曲折」(込み入った事情のため、状況がいろいろ変わること)
E 「疑心暗鬼」(疑う心があると、何でもないものまで怪しく見えてくること)
F 「四面楚歌」(楚の国の武将、項羽(こうう)が、周囲を囲んだ漢軍の中から楚の歌が聞こえてきたので、楚の国が既に漢に降伏したのかと絶望したことから、敵に囲まれた孤立無援の状況をいう)
どの□にも入らないのは「創」である。

過去

8 下線部分の品詞の説明が、a、bともに妥当なものはどれか。

1 a 誰からも好かれる人。……………………動詞
b 絵は上手だ、しかし、字は下手だ。…接続詞

2 a 今日はどこにも行かない。……………動詞
b きれいに掃除をする。…………………形容動詞

3 a 明日は敬老の日です。…………………助動詞
b 姉は就職するらしい。…………………助詞

4 a そのことなら彼女に聞け。……………形容詞
b 勝つことは難しかろう。………………連体詞

5 a ああ、新聞を読みたいなあ。…………副詞
b バス停まではどう行けばいいの。……感動詞

重要度		解答時間	3分30秒	正解	1

解説 **品詞は語尾が活用するかどうかで見分けよう。**

動詞、助動詞、補助動詞、形容詞、形容動詞は語尾が活用し、接続詞、助詞、副詞、連体詞、感動詞は語尾が活用しない。活用のあるものは、終止形の母音で判断すると分かりやすい。

動詞：「見る」「歩く」のように「u」の音で終わる。

形容詞：「美しい」「明るい」のように「い」で終わる。

形容動詞：「静か」や「はるか」のように語尾に「だ」「な」「に」がつくかどうかで判断するとよい。

補助動詞（「ある」「ください」など）、**助動詞**（「られる」「らしい」など）：「u」で終わるものと「い」で終わるものがあるが、「貸してください」「ほめられる」のように、その前に動詞がついているので判断できる。

○ **1** a「好かれる」は動詞「好く」に、受け身の助動詞「れる」がついたもの。b「しかし」は、逆接の接続詞。

× **2** a「ない」は動詞の未然形について打ち消しを表す助動詞。b「に」は形容動詞「きれいだ」の語尾が、「掃除をする」につながるため連用形に変化したもの。

× **3** a「は」は係助詞。b「らしい」は助動詞。

× **4** a「その」は連体詞。b「難しかろう」は形容詞「難しい」の未然形に推量の助動詞「う」がついたもの。

× **5** a「ああ」は感動詞。b「どう」は副詞。

要点を整理しよう！

●形容詞と形容動詞

形容詞は「い」で終わる。「美しい」**は形容詞**だが、意味が似ている「きれい」**は形容詞で**はない。これは「きれいだ」という形容動詞の語幹である。**形容動詞は**語尾**に「だ」「な」「に」がつくが、形容詞に**はつかない。

過去

9 次の慣用句のうち、（正）（誤）が正しい組み合わせのものはどれか。

1 （正）肝に据えかねる
（誤）腹に据えかねる

2 （正）愛想を振りまく
（誤）愛嬌を振りまく

3 （正）水を濁す
（誤）言葉を濁す

4 （正）怒り心頭に発する
（誤）怒り心頭に達する

5 （正）上へ下への大騒ぎ
（誤）上を下への大騒ぎ

重要度	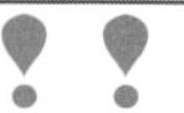	解答時間	3分	正解	4

慣用句を正確に覚えている人は案外少ない。とくに似たような言葉があると混同しやすいので、国語辞典で正しい形を覚えておくことが必要。

× **1** 「腹に据えかねる」は、「許容限度を超えている」「我慢できない」という意味。「肝(きも)」を使う慣用句に「肝が据わる」があるが、こちらは「度胸があって、めったなことでは動揺しない」という意味。

× **2** 「愛想を振りまく」は慣用的には誤用。「愛嬌を振りまく」が正しい。「愛想」は「あいそう」または「あいそ」とよみ、「人当たりのよいこと」をいう。「愛嬌(あいきょう)」は「愛敬」とも書き、「人好きのすること」。

× **3** 「水を濁す」という言い方は間違いではないが、特に慣用句とはなっていない。「言葉を濁す」は「はっきりと言わずに内容をぼかす」こと。

○ **4** 「心頭」がどこを指すかが分かれば判断できる。「心頭」は「心」「心中」のことで、「怒り心頭に発する」は「心の底から激しく怒る」こと。

× **5** 「上を下への大騒ぎ」は、「本来上にあるべきものが下に、下にあるべきものが上になるような混乱している様子」をいう。「上へ下へ」では意味がない。

CHECKPOINT

●同じ体の部位を使ったさまざまな慣用句

腹に一物……心の中にひそかにたくらみを隠していること。
腹を括(くく)る……覚悟を決める。
腹を割る……隠し立てをせずに本心を打ち明ける。

肝に銘ずる……心に深く刻みつける。
肝を潰す……びっくり仰天する。

耳が早い……うわさを早く聞きつける。
耳をそばだてる……聞き耳を立てる。
小耳に挟む……ちらっと聞く。

目から鼻へ抜ける……利口で機転がきく。
目に角を立てる……怒った目付きになる。

過去

10 外来語とその言い換え語の組み合わせとして、妥当でないのはどれか。

	外来語	言い換え語
1	インフラ	社会基盤
2	インフォームドコンセント	第二診断
3	オンデマンド	注文対応
4	コンプライアンス	法令遵守
5	ステレオタイプ	紋切り型

重要度	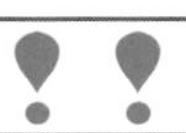	解答時間	2分	正解	2

解説 よく聞く言葉はその意味をきちんと把握しておこう。

○ 1 インフラストラクチャー（infrastructure）の略。水道、道路、鉄道、送電網、港湾などの産業や生活の基盤のこと。

× 2 十分な説明を受けたうえでの同意。医師が診療の目的や内容を十分に患者に説明して、同意を得ること。第二診断はセカンドオピニオンという。

○ 3 使う人の要求に応じてサービスを提供するシステム。ユーザーの要求に応じて配信するインターネット上のデータ配信はオンデマンド方式である。要求即応型のデジタル出版はオンデマンド出版という。

○ 4 企業が厳格に法律を守り、社会規範などに違反しないように公正・公平に業務を遂行していくこと（法令遵守）。

○ 5 物事の見方や表現方法が決まりきっていて新鮮味がないこと。固定観念、画一的。

過去

11 次のうち、春の季語はどれか。

1 蚊帳
2 名月
3 蛤
4 鰤
5 案山子

重要度	!!	解答時間	2分	正解	3

解説

× 1 蚊帳(かや)は麻布、絽(ろ)、木綿などで作られ、吊り下げて寝床をおおい、虫が入ってくるのを防ぐ。「蚊帳」は夏の季語。

× 2 名月(めいげつ)とは、陰暦八月十五夜の月、あるいは陰暦九月十三夜の月を指す。陰暦とは、太陰暦のことである。「名月」は秋の季語。

○ 3 蛤(はまぐり)はマルスダレガイ科の二枚貝で、殻長は約8cmほどに達する。日本各地の内湾の砂泥中に産し、その肉は食用。「蛤」は春の季語。

× 4 鰤(ぶり)はアジ科の海産の魚で、日本付近に分布し、養殖もされる。「寒鰤」という言い方もされ、冬においしい。「鰤」は冬の季語。

× 5 案山子(かかし)とは、藁(わら)や竹で人の形を造り田畑に立て、鳥獣が近寄るのを防ぐもの。「案山子」は秋の季語。

CHECKPOINT

●日本の豊かな自然を表す季語

季語とは、連歌や連句、俳句で、旬の季節を示すよう読み込まれた、特別に定められた語を指す。下の俳句には、春の季語の蛙(かはづ)が読み込まれている。
古池や蛙飛びこむ水の音(松尾芭蕉)

9 英語

過去

1 次の単語の組み合わせのうち、反対語の関係であるものはどれか。

1 vacant —— empty
2 ancestor —— descendant
3 jail —— prison
4 interval —— period
5 huge —— enormous

重要度	!	解答時間	1分	正解	2

解説

× 1 vacant〔形容詞〕空いている、使用されていない等
empty〔形容詞〕からの、中味のない等
同義語である。

○ 2 ancestor〔名詞〕先祖、祖先、前身、原型等
descendant〔名詞〕子孫等
反対語である。

× 3 jail〔名詞〕刑務所、拘置所、留置所等
prison〔名詞〕刑務所、監獄等
同義語である。

× 4 interval〔名詞〕間隔、休止期間、すきま等
period〔名詞〕期間、休止、試合のひとくぎり等
同義語である。

× 5 huge〔形容詞〕巨大な、莫大な、無限等
enormous〔形容詞〕異常に大きい、莫大な等
同義語である。

過去

2 次の英文のうち、文法的に妥当なものはどれか。

1 She was enough kind to help me.
2 He told me never open the door.
3 I want hot something to drink.
4 You had better not go there alone.
5 I have no time to discuss about it.

重要度	!!	解答時間	2分	正解	4

解説

× 1 She was kind enough to help me. が正しい。彼女は十分に親切だったので、私を手伝ってくれた、という意味。
enough（〔副詞〕十分に、～に必要なだけ、～するに足るだけ）は、修飾する形容詞、副詞、動詞などの後に置く。

× 2 He told me not to open the door. が正しい。彼は私にドアを開けるなと命じた、という意味。
tellは命令文を間接話法にする時の、伝達動詞として用いられる。askより命令的な意味合いをもつ。V + O + C（to不定詞）の形をとり、否定形の場合、toの前に打ち消しのnotが入る。

× 3 I want something hot to drink. が正しい。私は何か温かい飲み物が欲しい、という意味。
to不定詞の3つの用法（名詞的用法・形容詞的用法・副詞的用法）の中の、形容詞的用法。to不定詞が形容詞の働きをして、名詞を後ろから修飾する。

○ 4 あなたはそこへ一人で行かない方がいい、という意味。
had betterは動詞の原形の前に付き、助動詞のように用いられる。否定形の場合はhad better notとなる。

× 5 I have no time to discuss it. が正しい。discussは他動詞なので、前置詞を付けると誤り。

過去

3 次は、アメリカ合衆国の第35代大統領ジョン・F・ケネディの演説の一説である。空所A、Bにあてはまる単語の組み合わせとして、妥当なものはどれか。

Ask not (A) your country can do (B) you;
Ask (A) you can do (B) your country.

	A	B
1	how	to
2	what	for
3	when	with
4	why	about
5	if	without

重要度	! !	解答時間	1分30秒	正解	2

関係代名詞whatを覚えよう。

関係代名詞 what は、物事や事物を表す語を受ける。先行詞はその中に含まれるので、～であるもの、～であること、というような意味をもつ。what はthe thing(s)〔that (which) ～〕の代わりに用いる。問題文は、国があなたのためにできることを尋ねるな、あなたが国のためにできることを問え(国があなたのために何をしてくれるかではなく、あなたが国のために何ができるかだ)、という意味になる。

4 次の英文の空所に入る語句として、妥当なものはどれか。

I (　　　　　) the book, but I don't remember.

1 can't have read
2 should not have read
3 must read
4 may have read
5 ought to read

重要度	!!	解答時間	1分30秒	正解	4

解説

× **1** 私はそんな本は読んだはずがないが、私は覚えていない。
× **2** 私はその本を読むべきではなかったが、私は覚えていない。
× **3** 私はその本を読まなければならないが、私は覚えていない。
○ **4** 私はその本を読んだかもしれないが、私は覚えていない。
× **5** 私はその本を読むべきだが、私は覚えていない。
①、②、③、⑤は意味がつながらない。

5 次の英文のうち、文法的に妥当でないものはどれか。

1 This is why Sam is hated.
2 I don't know the baby whom my sister kissed.
3 Draw that tall building which stands on the hill.
4 That is where I found my wallet.
5 You are not who you used to be.

重要度	!	解答時間	1分	正解	5

解説 関係副詞と関係代名詞を覚えよう。

○ 1 これがサムが嫌われている理由です、という意味の文。理由を先行詞として、関係副詞 why を用いているので正しい。

○ 2 私は姉（妹）がキスした赤ちゃんを知らない、という意味の文。人を先行詞として、関係代名詞 whom を用いているので正しい。

○ 3 丘に建つあの高いビルを描きなさい、という意味の文。人以外の物を先行詞として、関係代名詞 which を用いているので正しい。

○ 4 あそこが私がサイフを見つけたところです、という意味の文。関係副詞 where を用いているので正しい。先行詞は place だが省略することができる。

× 5 あなたは以前のあなたではない、という意味を表そうとした文。この場合は、先行詞を含んでいる関係代名詞 what を用いる。

CHECKPOINT

●関係代名詞 what の慣用表現

- Nancy is beautiful, and **what** is still better, she is very kind.
（ナンシーは美しく、そしてさらによいことには、とても親切だ）
- **What** with stomachache and (**what** with) headache, I failed the examination.
（腹痛やら頭痛やらで、私はその試験に落ちた）

過去

6 次の英文が完成した文章になるように、ア～オの語を並べかえた場合（A）に当てはまる語句として最も妥当なものはどれか。

When you visit the village, you may (　　) (　　) (A) (　　) (　　) knowing their customs.

ア the local people　　**イ** without　　**ウ** find it
エ to communicate with　　**オ** difficult

1 ア
2 イ
3 ウ
4 エ
5 オ

重要度		解答時間	2分	正解	4

解説 S+V+it～to…の文型を覚えよう。

文を正しく並べると、When you visit the village, you may find it difficult to communicate with the local people without knowing their customs. となる。この文の意味は、「あなた（方）がその村を訪れたとき、地元の人々の風習を知ることなしに、彼らと意思疎通するのは難しいとわかるだろう」。この場合のmayは、可能性や推量を表し、「たぶん～だろう」「～することがよくある」という意味をもつ。to＋動詞の原形であるto communicateは不定詞であり、この文では「～すること」という名詞的用法で使われている。itは形式目的語で、to communicateの真目的語を補語のあとに置いている。you may～の文は、S＋V＋it＋C＋to～の文型である。このようにitを形式目的語にし、真目的語の不定詞を補語のあとに置く例文は、以下のようになる。

I don't think it easy to speak German.
S　V　形式目的語　C　不定詞（真目的語）
（私はドイツ語を話すのが（話すことが）やさしいとは思わない）

7 次の英文のうち、文法的に正しくないものはどれか。

1 Bach is the greatest of all the composers.
2 Bach is greater than any other composer.
3 No composer is so great as Bach.
4 Any other composer is not as great as Bach.
5 No composer is greater than Bach.

重要度		解答時間	1分	正解	4

解説 原級・比較級・最上級を覚えよう。

○ 1 バッハはすべての作曲家のなかで最も偉大である、という意味。最上級を用いた文。最上級とは、3つ以上のなかで最も程度が高いことを表す形である。最上級の基本形は、(the +) 最上級 + of または in〜。大部分の形容詞・副詞は、もとの形である原級に、er、est を付け、規則的に比較級、最上級となる。例 great-greater-greatest。文法的に正しい。

○ 2 バッハは他のどんな作曲家より偉大である、という意味。比較級を用いた文。比較級とは、2つのうち、一方が他より程度が高いことを表す形である。比較級の基本形は、比較級 + than〜。この構文は、比較級 + than any other + 単数名詞で成り立っているが、このように比較級を用いて、最上級の内容を表すこともできる。文法的に正しい。

○ 3 どんな作曲家もバッハほど偉大ではない、という意味。原級を用いた文。この構文は、否定語 + as または so + 原級 + as〜で成り立っているが、このように原級を用いて、最上級を表すこともできる。文法的に正しい。

× 4 どんな作曲家もバッハほど偉大ではない、という意味を表そうとした文。この場合、文頭に否定語をもってきて、No (other) composer is as great as Bach. とすべきである。

○ 5 どんな作曲家もバッハより偉大ではない、という意味。比較級を用いた文。否定語 + 比較級 + than〜で成り立っているが、このように比較級を用いて最上級の内容を表すこともできる。文法的に正しい。

8 次の英文のうち、妥当なものはどれか。

1 I told her what a nice bag she has.
2 My grandfather always told me that early bird caught the worm.
3 I asked her if she has cleaned her room.
4 She told me that she would visit Canada.
5 He told us that he would play tennis tomorrow.
※worm（虫）

重要度	❗❗❗	解答時間	2分	正解	4

解説 直接話法と間接話法を覚えよう。

× 1 私は彼女に彼女が何てすてきなバッグを持っているのだろうと話した、という意味を表そうとした文。文の中心の動詞 told が過去形なので、時制の一致により、hasも過去形の had にしなければならない。
直接話法→ I said to her, “What a nice bag you have!”

× 2 私の祖父は私に「早起きは三文の得」といつも言っていた、という意味を表そうとした文。不変の真理などの他、このような格言にも時制の一致はあてはまらず、caught は catches と現在形にする。
直接話法→ My grandfather always said to me, “The early bird catches the worm.”

× 3 私は彼女に彼女が自分の部屋を掃除したかを尋ねた、という意味を表そうとした文。尋ねたのは過去。それより前に掃除していたかなので、過去完了となる。has ではなく had にする。
直接話法→ I said to her, “Have you cleaned your room?”

○ 4 彼女は私に彼女はカナダへ行く予定だと言った、という意味の文。
直接話法→ She said to me, “I will visit Canada.”

× 5 彼は私たちに彼が明日テニスをするつもりだと言った、という意味を表そうとした文。原則として、直接話法の時を表す副詞を、間接話法でそのまま使うことはできない。tomorrow は the next day（the following day）にする。直接話法→ He said to us, “I will play tennis tomorrow.”

過去

9 “This is ten times better.” のtime(s) と同じ意味で使われているものはどれか。

1 What time is it?
2 It is not time to go to bed.
3 Three times five is fifteen.
4 How many times do I have to tell you?
5 Times are changing very fast.

重要度		解答時間	1分	正解	3

解説 | **time のもつさまざまな意味を覚えよう。**

例文は、これは10倍よい、という意味の文。この場合の times は「～倍」。

× 1 何時ですか、という意味の文。この場合の time は時計上の時間を表す。

× 2 寝る時間ではない、という意味の文。この場合の time は(～するべき)時を表している。

○ 3 5の3倍は15である、という意味の文。この場合の time は s を付けて複数形にし、「～倍」として使われる。

× 4 私はあなたに何回言わなければいけませんか、という意味の文。s を付けて複数形にし、「～回、～度」として使われる。

× 5 時代はとても速く変化している、という意味の文。s を付けて複数形にし、「時代、時勢、現代」などとして使われる。

CHECKPOINT

●いろいろな time の使い方

Have a nice time.
　個人の特定の体験や経験を表すtime(楽しんできてください)
in the times of Queen Victoria
　複数形で「～の時代」(ビクトリア女王時代に)

過去

10 次の英文と内容が異なるものはどれか。

If it had not been for your help, I couldn't have succeeded.

1 But for your help, I couldn't have succeeded.
2 If it had not been for your help, I would have failed.
3 Had you helped me, I would have succeeded.
4 Without your help, I couldn't have succeeded.
5 I succeeded through your help.

重要度		解答時間	2分	正解	3

仮定法を覚えよう。

例文は仮定法過去完了の形をとっていて、もしあなたの手助けがなかったら、私は成功しなかっただろう、という意味。if it had not been for～で「もし～がなかったら」。仮定法の文は、現実とは違うことやありそうもないことを表し、if 節に過去形または過去完了を用いる形をとる。主節には、助動詞の過去形を用い、現在の事実と違うときは、動詞の原形を続ける。これが仮定法過去で、「もし～であれば、～なのだが」の意味。現在や未来のことを表している。過去の事実と違うときは、助動詞の過去形のあとに、have＋過去分詞を続ける。これが仮定法過去完了で、「もし～であったら、～だったのだが」の意味。過去のことを表している。

○ 1 前置詞句 but for ～は、「～がなければ」という意味。
○ 2 fail は失敗するという意味。
× 3 倒置により if を省略した構文。本来は If you had helped me となり、もしあなたの手助けがあったら成功しただろうという意味で、実際には手助けがなかったことになる。しかし、例文では、もしあなたの手助けがなかったらと仮定しているので、実際には手助けがあって成功している。
○ 4 前置詞 without は、「～のない」「～しないで」という意味。
○ 5 前置詞 through は、「～によって」という意味。私はあなたの手助けによって成功したという過去形の文。

SECTION 2 人文科学 ココを押さえる

日本史

■明治以降の近・現代史も多く出題されます。高校の日本史をしっかり復習しましょう。
■時代の流れを年代順に把握しておくことも必要です。年表なども活用してください。

世界史

■ヨーロッパ史（イギリス、フランス）と東洋史（中国、朝鮮）の出題頻度が高くなっています。体系的に理解しておきましょう。
■第一次世界大戦・第二次世界大戦に関する事項も重要です。

地理

■世界の産業（農業、工業、輸出入）の特色を覚えておいてください。
■世界の自然（気候、海流、地形）も頻出度が高い項目です。

倫理

■哲学者・思想家の主だった人物は覚えておきましょう。
■有名な言葉や作品も系統立てて把握してください。

国語

■四字熟語・ことわざ・慣用句は一番多く出題されます。
■敬語表現や漢字の読み・書きもきっちりとおさえてください。

英語

■関係詞、仮定法、話法、不定詞などの復習をしっかりしておきましょう。
■確かな単語力を身につけることが大切です。

SECTION 3

自然科学

数学、理科分野の基本問題が中心です。
高校までの総復習を心がけましょう。
出題数は多くありませんが、かならずマスターしなければいけない分野です。

10 数学 ―― 114
11 生物 ―― 122
12 化学 ―― 130
13 物理 ―― 138
14 地学 ―― 146

■自然科学  を押さえる ― 154

SECTION 3 自然科学

10 数学

過去

1 各辺の長さが5 cm、7 cm、8 cmである三角形の面積はいくつになるか。

1 $8\sqrt{3}\text{cm}^2$　**2** $9\sqrt{3}\text{cm}^2$　**3** $10\sqrt{3}\text{cm}^2$
4 $8\sqrt{5}\text{cm}^2$　**5** $9\sqrt{5}\text{cm}^2$

重要度	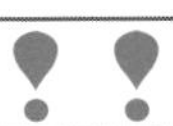	解答時間	3分	正解	3

解説

△ＡＢＨと△ＡＣＨで、三平方の定理より、
$h^2 = 7^2 - (8 - x)^2$…①、$h^2 = 5^2 - x^2$…②が得られる。
①を②に代入し、$7^2 - (8 - x)^2 = 5^2 - x^2$
これより、$49 - 64 + 16x - x^2 = 25 - x^2$
これを解き、$x = \frac{5}{2}$、$h = \sqrt{5^2 - \left(\frac{5}{2}\right)^2} = \frac{5\sqrt{3}}{2}$
よって、$\triangle ABC = \frac{1}{2} \times 8 \times \frac{5\sqrt{3}}{2} = 10\sqrt{3}$

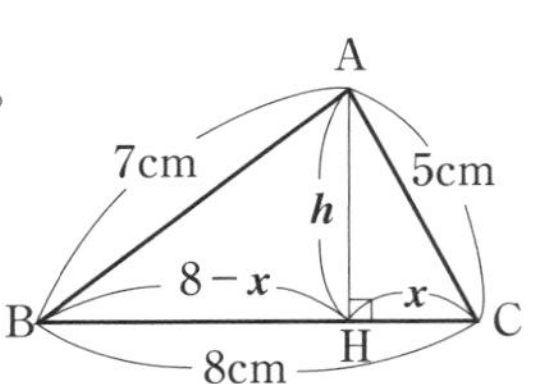

CHECKPOINT

●三平方の定理

$a^2 + b^2 = c^2$

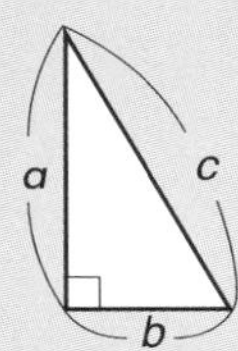

●重要乗法公式

$(a+b)^2 = a^2 + 2ab + b^2$　$(a+b)(a-b) = a^2 - b^2$
$(x+a)(x+b) = x^2 + (a+b)x + ab$
$(x+y+z)^2 = x^2 + y^2 + z^2 + 2(xy + yz + zx)$
$(x+y)^3 = x^3 + 3x^2y + 3xy^2 + y^3$
$(x+y)(x^2 - xy + y^2) = x^3 + y^3$

過去

2 **図のように正三角形ＡＢＣに内接する円Ｓがある。ここで正三角形の内部で２辺と円Ｓに接する小さな円（Ｓ１、Ｓ２、Ｓ３）を３つ描いたとき、円Ｓの面積と、３つの円（Ｓ１、Ｓ２、Ｓ３）の面積の和の比はいくつになるか。**

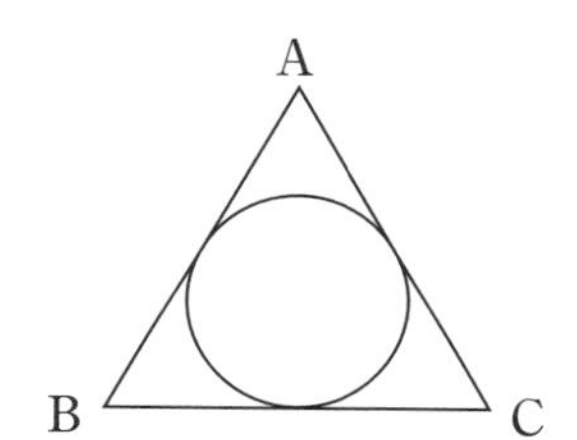

1　3：1
2　3：2
3　$\sqrt{3}$：1
4　$2\sqrt{3}$：1
5　$3\sqrt{3}$：2

重要度		解答時間	3分	正解	1

解説

右図において、△OBDと△PBEはともに30°定規になる。BP：PQ＝BP：PE＝２：１
BQ＝QOより、BP：PQ：QO＝２：１：３
となり、大円と小円の半径の比は３：１
相似な図形の面積比は相似比の２乗になるので
$S:S1 = 3^2 : 1^2 = 9 : 1$
これより、求める比は$9 : 1 \times 3 = 3 : 1$

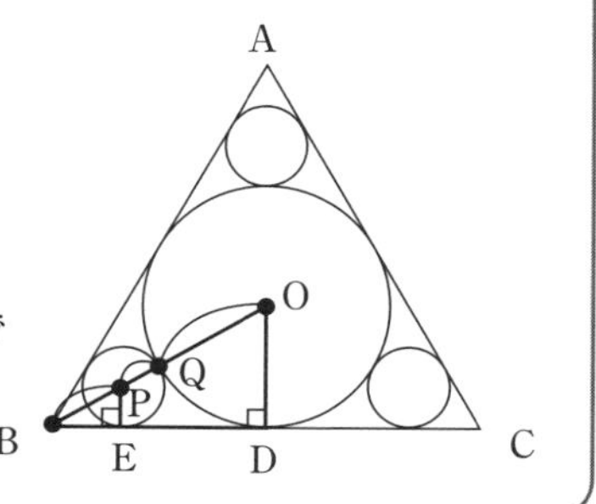

CHECKPOINT

●特別角三角形の三辺の比

- 45°定規　（1：1：$\sqrt{2}$）
- 30°定規　（2：1：$\sqrt{3}$）

●相似な図形の面積比・体積比

相似比（$a:b$）→面積比（$a^2:b^2$）→体積比（$a^3:b^3$）

3 次のうち実数解が存在しない２次方程式として、正しいのはどれか。

1　$3x^2+16x-12=0$
2　$2x^2+9x+9=0$
3　$x^2+2x+5=0$
4　$\frac{1}{2}x^2+5x+12=0$
5　$-3x^2-7x+6=0$

重要度		解答時間	3分	正解	3

解説

判別式$D=b^2-4ac$を計算し、$D<0$となるものを選ぶが、明らかに符号が判定できるものは計算する必要がない。

× 1　$D=16^2-4\times3\times(-12)>0$……明らかに正
× 2　$D=9^2-4\times2\times9=9^2-8\times9=9(9-8)>0$……明らかに正→分配法則を利用したい
○ 3　$D=2^2-4\times1\times5<0$……明らかに負
× 4　$D=5^2-4\times\frac{1}{2}\times12=25-24>0$……明らかに正
× 5　$D=(-7)^2-4\times(-3)\times6>0$……明らかに正

CHECKPOINT

●解の公式

$ax^2+bx+c=0$のとき（$a\neq0$）、$x=\frac{-b\pm\sqrt{b^2-4ac}}{2a}$

●判別式

$ax^2+bx+c=0$において$D=b^2-4ac$
実数解が２つある条件は　$D=b^2-4ac>0$
重解である条件は　$D=b^2-4ac=0$
実数解なしである条件は　$D=b^2-4ac<0$

過去

4 $y=2x^2+(k-1)x+2$ のグラフが x 軸と共有点をもたないような k の値の範囲として、正しいのはどれか。

1　$-3<k<5$
2　$k<-3,\ 5<k$
3　$k<-3$
4　$k<5$
5　$k=5$

重要度	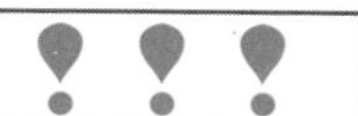	解答時間	3分	正解	1

解説

x軸と共有点をもたないので、$2x^2+(k-1)x+2>0$
すなわち2次方程式 $2x^2+(k-1)x+2=0$ が解なしになればよい。
判別式の値が負になればよいので、
$D=(k-1)^2-4\times2\times2<0$ の不等式を解くことで、kの範囲が分かる。
不等号の左辺を展開し、因数分解すると、
$k^2-2k-15<0$
$(k+3)(k-5)<0$
これより $D=k^2-2k-15$ のグラフ(右図)が軸より下にある部分の範囲は $-3<k<5$ となり、これが求める解である。

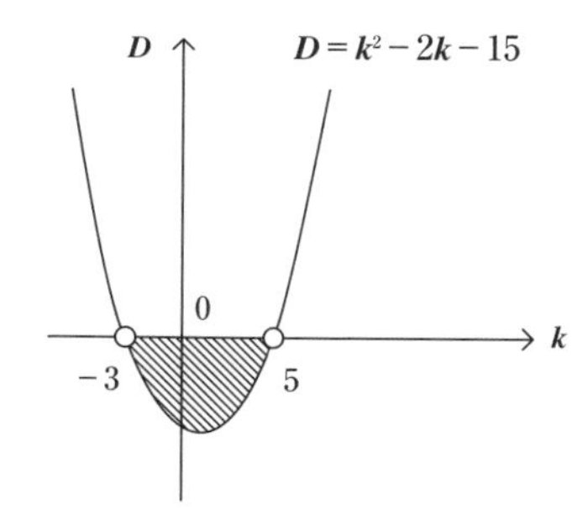

CHECKPOINT

● 2次不等式と放物線

2次不等式は与式を変数とする放物線を描き、グラフがx軸の上にあるか下にあるかで、式の正負を判断する。

次の二次関数の中に、1つだけそのグラフの頂点の座標がほかの4つと異なるものがある。ほかと異なる頂点の座標をもつ二次関数を表した式は、次のうちどれか。

1 $y = x^2 - 6x + 4$　**2** $y = -x^2 + 6x - 4$
3 $y = 2x^2 - 12x + 13$　**4** $y = -2x^2 + 12x - 23$
5 $y = 3x^2 - 18x + 22$

重要度		解答時間	4分	正解	2

解説

平方完成の手順を速く、正確に行うことが望ましい。
(ⅰ) x^2 の係数で文字式部分をくくる。
(ⅱ)カッコ内の x の係数の $\frac{1}{2}$ の平方をカッコ内で加え、カッコ外で引く。
右辺をそれぞれ平方完成すると、

1 $y = x^2 - 6x + 4 = (x^2 - 6x + 9) + 4 - 9 = (x - 3)^2 - 5$
2 $y = -x^2 + 6x - 4 = -(x^2 - 6x + 9) - 4 + 9 = -(x - 3)^2 + 5$
3 $y = 2x^2 - 12x + 13 = 2(x^2 - 6x + 9) + 13 - 18 = 2(x - 3)^2 - 5$
4 $y = -2x^2 + 12x - 23 = -2(x^2 - 6x + 9) - 23 + 18 = -2(x - 3)^2 - 5$
5 $y = 3x^2 - 18x + 22 = 3(x^2 - 6x + 9) + 22 - 27 = 3(x - 3)^2 - 5$

以上より、**2**の頂点の座標は $(3,\ 5)$ で、他のものは $(3,\ -5)$ となる。

CHECKPOINT

●重要公式

- 平方完成には、x の係数の $\frac{1}{2}$ の平方の定数が必要。

$$ax^2 + bx + c = a\left(x^2 + \frac{b}{a}x\right) + c = a\left(x^2 + \frac{b}{a}x + \left(\frac{b}{2a}\right)^2\right) + c - a\left(\frac{b}{2a}\right)^2$$
$$= a\left(x + \frac{b}{2a}\right)^2 + \frac{4ac - b^2}{4a}$$

- 二次関数の一般形：$y = ax^2 + bx + c$ $(a \neq 0)$
- 頂点の座標が $(p,\ q)$ である放物線の式：$y = a(x - p)^2 + q$ $(a \neq 0)$

6 **3辺の長さがAB＝13cm、BC＝10cm、CA＝13cmである△ABCがある。この三角形の内接円の半径を求めよ。**

1 $\frac{5}{2}$

2 3

3 $\frac{10}{3}$

4 4

5 $\frac{5\sqrt{3}}{3}$

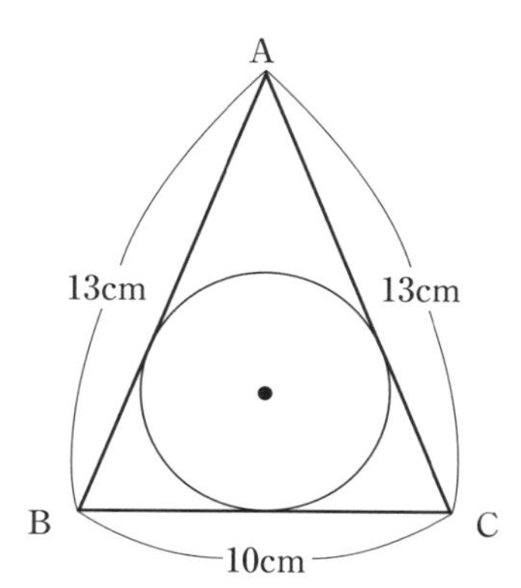

重要度	 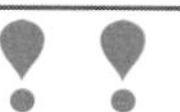	解答時間	2分	正解	3

解説

△ABCの高さをAHとすると、

$AH = \sqrt{13^2 - 5^2} = 12$

これより $\triangle ABC = \frac{1}{2} \times 10 \times 12 = 60$

ここで、内接円の半径を r とすると、

$\triangle ABC = \triangle OAB + \triangle OBC + \triangle OCA$

$= \frac{r}{2}(13 + 10 + 13)$ と表せるので

$\frac{r}{2}(13 + 10 + 13) = 60$ より、$r = \frac{10}{3}$

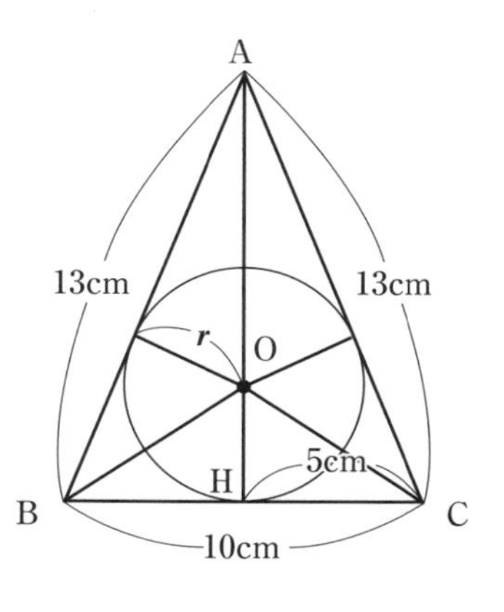

CHECKPOINT

●内接円

内接円の半径を r とすると、$\triangle ABC = \frac{r}{2}(AB + BC + CA)$

AB＝ 6 cm、AC＝ 5 cm、∠B＝30°である△ABCがある。この△ABCの外接円の半径 R と、sin C の値の組み合わせで正しいものはどれか。

ただし、正弦定理 $\dfrac{a}{\sin A}=\dfrac{b}{\sin B}=\dfrac{c}{\sin C}=2R$（$R$は外接円の半径）が成り立つことを利用してよい。

1 $R=4$、$\sin C=\dfrac{1}{2}$

2 $R=5$、$\sin C=\dfrac{3}{5}$

3 $R=5$、$\sin C=\dfrac{4}{5}$

4 $R=6$、$\sin C=\dfrac{\sqrt{3}}{2}$

5 $R=6$、$\sin C=\dfrac{1}{2}$

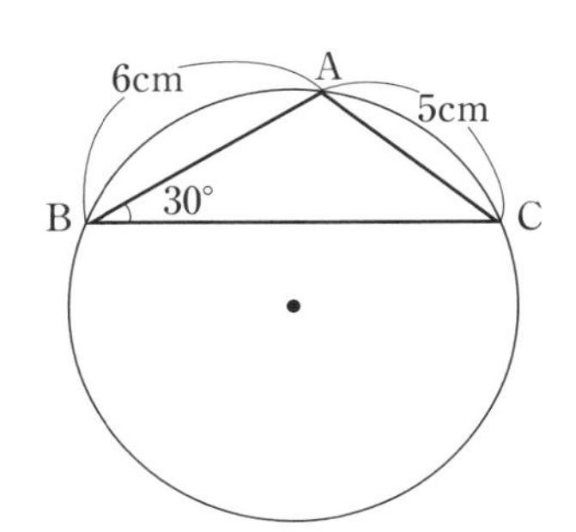

重要度		解答時間	3分	正解	2

$\sin B=\sin 30°=\dfrac{1}{2}$、$b=5$ を正弦定理 $\dfrac{b}{\sin B}=2R$ に代入し、

$\dfrac{5}{\frac{1}{2}}=2R$ より、$5\div\dfrac{1}{2}=2R$、$R=5$　さらにこれを

$\dfrac{c}{\sin C}=2R$ に代入し、$\dfrac{6}{\sin C}=2\times 5$ より、$\sin C=\dfrac{3}{5}$　これらより正解は 2

CHECKPOINT

●三角比

$\sin A=\dfrac{a}{b}$　$\cos A=\dfrac{c}{b}$

$\tan A=\dfrac{a}{c}$

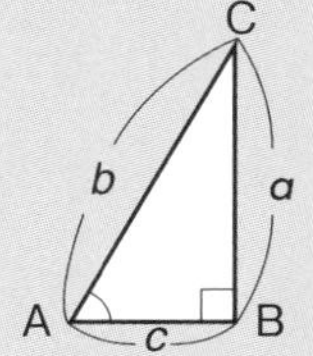

●正弦定理

$\dfrac{a}{\sin A}=\dfrac{b}{\sin B}=\dfrac{c}{\sin C}=2R$

（Rは外接円の半径）

過去

8 次の図において∠B＝60°、AB＝３、BC＝２のとき、ACの長さとして、正しいのはどれか。

1 $\sqrt{5}$

2 $\frac{5\sqrt{2}}{3}$

3 $\frac{5}{2}$

4 $\sqrt{7}$

5 $2\sqrt{2}$

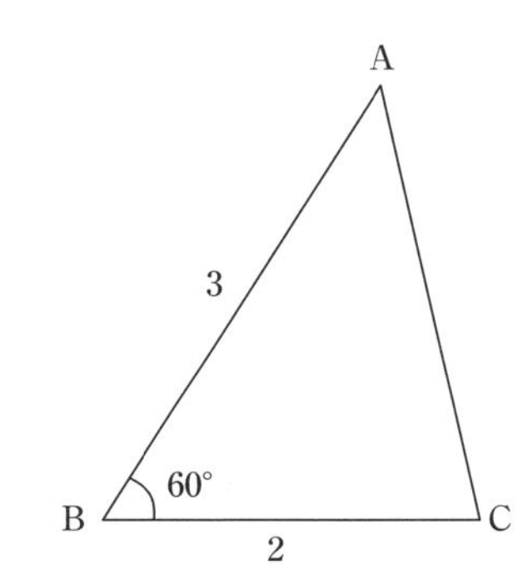

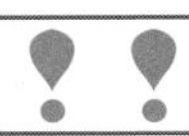

重要度	❢❢❢	解答時間	3分	正解	4

解説

求めるACの長さをxとおくと、３辺の長さと１つの角の関係で考える問題であることが分かるので、余弦定理を使う。
余弦定理より、

$$x^2 = AB^2 + BC^2 - 2 \times AB \times BC \times \cos 60°$$
$$= 3^2 + 2^2 - 2 \times 3 \times 2 \times \frac{1}{2}$$
$$= 7$$

$x > 0$ より、$x = \sqrt{7}$

CHECKPOINT

●余弦定理
$a^2 = b^2 + c^2 - 2bc \cos A$

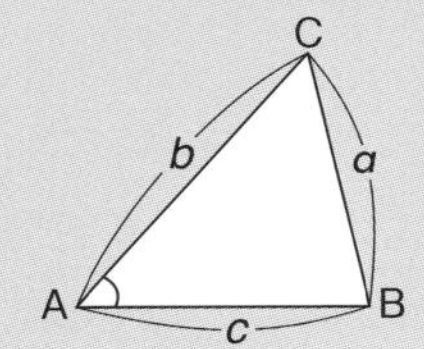

●特別角の三辺の比
45°定規の３辺の比は$1 : 1 : \sqrt{2}$ … (1)
30°、60°定規の３辺の比は$2 : 1 : \sqrt{3}$ … (2)

(1)

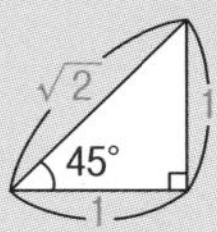

(2)

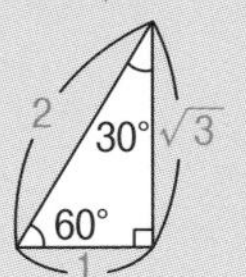

SECTION 3 自然科学 10 数学

11 生物

1 酵素に関する記述として、最も妥当なのはどれか。

1 ほとんどの酵素は細胞内で作られるが、アミラーゼのように細胞外に分泌されて働く消化酵素は細胞外で作られる。

2 酵素は働く環境により反応速度がかわるが、温度の上昇する場合にはそれにともなって反応速度は増し続ける。

3 反応する場所に応じて酵素にはそれぞれに最適なpHがあるが、胃液中で働くペプシンの最適pHは7付近である。

4 生体内にはさまざまな酵素が存在するが、それぞれの酵素は特定の物質にしか作用しない基質特異性を有する。

5 化学反応を促進する物質を触媒と呼ぶが、触媒として働く酵素は化学反応の前後でそれ自身変化をする。

重要度	❗❗❗	解答時間	2分	正解	4

解説　**酵素には、最適温度、最適pH、基質特異性がある。**

× 1　酵素は細胞内で作られるタンパク質を主成分とする。葉緑体に存在する光合成に関係する酵素やミトコンドリアに含まれる呼吸に関係する酵素のように細胞内で働く酵素もあるが、消化酵素のように、細胞内で作られたあとに細胞外に分泌されて細胞外で働く酵素もある。

× 2　酵素が関与する反応は温度上昇に伴って反応速度が大きくなるが、一定の温度以上になると急に低下する。これは、高温になると酵素タンパク質の立体構造が変化し、酵素の活性が失われるためである。

× 3　強酸性の胃液中で働くペプシンの最適pHは2付近である。

○ 4　酵素が作用する物質を基質という。酵素には特有の立体構造をもつ活性部位があり、その構造と適合した基質だけが結合して反応が起こる。

× 5　化学反応を促進する物質で、それ自体は反応の前後で変化しない物質を触媒という。酵素は生体触媒と呼ばれ、反応の前後で変化しない。

CHECKPOINT

●酵素の性質

基質特異性……酵素は、活性部位の構造に適合する特定の物質（基質）にしか作用しない。

最適温度……酵素の反応速度が最も大きくなる温度。ふつう、30～40℃である。60℃以上の温度では、多くの酵素は変形して活性を失う。これを失活という。

最適pH……酵素の反応が最も盛んになるときのpH。多くの酵素の最適pHはpH 6～8付近である。

例　ペプシン：2、だ液アミラーゼ：7、トリプシン：8

2 タンパク質の合成に関する記述として、最も妥当なのはどれか。

1 RNAを構成するヌクレオチドは、糖としてデオキシリボースをもち、塩基にはアデニン（A）、チミン（T）、グアニン（G）、シトシン（C）の4種類がある。
2 RNAは二重らせん構造をもつ。
3 遺伝情報は、DNAからRNAを経てタンパク質へと一方向へ流れるという考え方をセントラルドグマという。
4 DNAの塩基配列をRNAに写し取る過程を翻訳、翻訳されたRNAの塩基配列がタンパク質のアミノ酸配列に変換される過程を転写という。
5 mRNAの連続した塩基4個の配列が1個のアミノ酸を指定している。

重要度	❗❗	解答時間	3分	正解	3

遺伝子の発現の過程は、転写→翻訳の2段階からなる。

× 1 糖としてリボースをもち、塩基にはアデニン（A）、ウラシル（U）、グアニン（G）、シトシン（C）の4種類がある。
× 2 RNAは1本鎖、二重らせん構造をもつのはDNAである。
○ 3 細胞のもつ遺伝情報は、DNA→RNA→タンパク質の順に一方向に伝達するという考え方をセントラルドグマという。
× 4 DNAの塩基配列をRNAに写し取る過程を転写、転写されたRNAの塩基配列がタンパク質のアミノ酸配列に変換される過程を翻訳という。
× 5 mRNAの連続した塩基3個の配列が1個のアミノ酸を指定している。

CHECKPOINT

●DNAとRNAのちがい

	DNA	RNA
ヌクレオチド鎖	2本鎖	1本鎖
糖	デオキシリボース	リボース
塩基	A、T、G、C	A、U、G、C

3 **ホルモンとそのおもなはたらきの組み合わせとして、最も妥当なのはどれか。**

1 バソプレシン — 腎臓での水分の再吸収を促進する。
2 アドレナリン — グリコーゲンの合成を促進し、血糖濃度を下げる。
3 グルカゴン — タンパク質からの糖の合成を促進し、血糖濃度を上げる。
4 チロキシン — 腎臓でのナトリウムイオンの再吸収とカリウムイオンの排出を促進する。
5 インスリン — 生体内の化学反応を高め、代謝を促進する。

重要度	！！！	解答時間	2分	正解	1

解説 **おもなホルモンとそのはたらきを整理しておこう。**

○ 1 バソプレシンは脳下垂体後葉でつくられ、腎臓での水分の再吸収を促進する。
× 2 アドレナリンは副腎髄質でつくられ、グリコーゲンの分解を促進し、血糖濃度を上昇させる。
× 3 グルカゴンはすい臓のランゲルハンス島A細胞でつくられ、グリコーゲンの分解を促進し、血糖濃度を上昇させる。タンパク質からの糖の合成を促進し、血糖濃度を上げるのは副腎皮質でつくられる糖質コルチコイドである。
× 4 チロキシンは甲状腺でつくられ、生体内の化学反応を高め、代謝を促進する。腎臓でのナトリウムイオンの再吸収とカリウムイオンの排出を促進するのは副腎皮質でつくられる鉱質コルチコイドである。
× 5 インスリンはすい臓のランゲルハンス島B細胞でつくられ、グリコーゲンの合成と組織での糖の呼吸消費を促進し、血糖濃度を低下させる。

過去

4 次の文中の空所に入る語句の組み合わせとして、妥当なものはどれか。

神経系の構造は、動物の種類によって異なるが、いずれも、ニューロンが基本単位となっている。ニューロンは、ふつう、(　A　) とそれにつながる１本の長い (　B　) 及び多数の短い (　C　) からできている。(　B　) は、(　D　) と呼ばれる薄い膜状の細胞に包まれているものが多い。

	A	B	C	D
1	軸索	神経鞘	細胞体	樹状突起
2	神経鞘	樹状突起	軸索	細胞体
3	細胞体	樹状突起	軸索	神経鞘
4	細胞体	軸索	樹状突起	神経鞘
5	軸索	神経鞘	樹状突起	細胞体

重要度	❗❗	解答時間	2分	正解	4

ニューロン（神経細胞）＝細胞体＋軸索＋樹状突起

A　細胞体にはニューロンの核が含まれている。

B　軸索は興奮を伝える。

C　樹状突起は興奮を受け取る。

D　神経鞘の細胞の細胞膜が軸索に何重にも巻きついて髄鞘を形成しているものを有髄神経繊維、髄鞘を形成していないものを無髄神経繊維という。

5 次の文中の空所A～Cに該当する語句の組み合わせとして、妥当なものはどれか。

ヒトの体内の各組織では（　A　）が分解されているが、その際に発生する（　B　）は生体にとって有害なので、肝臓においてこれを材料にして毒性の低い（　C　）を合成している。

	A	B	C
1	脂肪	アンモニア	乳酸
2	脂肪	アミノ酸	尿素
3	脂肪	アンモニア	尿素
4	タンパク質	アミノ酸	乳酸
5	タンパク質	アンモニア	尿素

重要度	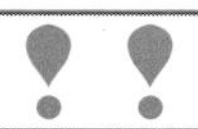	解答時間	1分30秒	正解	5

肝臓には、尿素の合成以外に、血糖量の調節、胆汁の生成、血液の貯蔵などのはたらきがある。

A　脂肪が分解されてもアンモニアは発生しない。酵素や赤血球などタンパク質が分解されるときにアンモニアが発生する。また、タンパク質は消化によってアミノ酸に分解されるが、アミノ酸がエネルギー源として使われるときにもアンモニアが発生する。

B　アミノ酸は無害な物質であるが、アンモニアは細胞にとって有毒な物質である。

C　乳酸は、筋肉などで酸素を使わない呼吸（嫌気呼吸）が行われるときにつくられる。ほ乳類や両生類などでは、肝臓において有害なアンモニアが害の少ない尿素に変えられる。

過去

6 ヒトの血液に関する記述として、最も妥当なのはどれか。

1 血しょうや組織液のような細胞外液の成分は、海水の成分とよく似ていて、無機塩類としてカリウムイオンや塩化物イオンが大部分を占めている。

2 リンパ液は、筋肉の運動やリンパ管の収縮運動によってリンパ管を一方向に血液と同じ速さで流れ、心臓の近くで動脈へと合流する。

3 ヒトなどの脊椎動物では、動脈と静脈が毛細血管により連絡した、閉鎖血管系と呼ばれる血管系をもち、血液を効率よく一定の方向に循環できるようになっている。

4 白血球は免疫作用に関わる細胞として特殊化した細胞で、核やミトコンドリアをもたない扁平な形をしている。

5 外傷で血管が損傷されたとき、血小板から放出される血液凝固因子の働きにより、アルブミンが形成され、これが血球と絡み合うことで血ぺいを形成し、傷口が塞がれる。

重要度	!!!	解答時間	2分	正解	3

解説 血液＝固形成分（赤血球・白血球・血小板）＋液体成分（血しょう）

× 1 細胞外液にはナトリウムイオンや塩化物イオンが多く、細胞内液にはカリウムイオンやリン酸イオンが多い。

× 2 リンパ液が流れる速さは血液よりも遅く、心臓の近くで静脈に合流する。

○ 3 血管系には、毛細血管のない開放血管系と、動脈と静脈が毛細血管で結ばれた閉鎖血管系がある。

× 4 白血球は核やミトコンドリアをもつが、赤血球は核やミトコンドリアをもたない。

× 5 血管が損傷されたとき、血小板から放出される血液凝固因子によって形成されるのはフィブリンである。

7 環境の変化や周囲からの刺激に対する植物の反応を屈性と傾性とに分類したとき、傾性に属するものとして、最も妥当なのはどれか。

1 寝かせて土をかけておいたネギが重力と反対方向に伸びる。
2 ホウセンカの茎の先端が光の差し込んでくる方へ曲がる。
3 雌しべに付着した花粉から花粉管が子房の方へ伸びる。
4 オジギソウの葉に触れると小葉が閉じて葉柄が垂れ下がる。
5 アサガオのつるが支柱に触れるとそれに巻きついて伸びる。

重要度	❗❗	解答時間	2分	正解	4

環境の変化に対する植物の反応のうち、刺激の方向に関係するのが屈性、刺激の方向と無関係なのが傾性である。

× 1 この反応の刺激は重力で、土をかけておいたネギは刺激から遠ざかるように伸びるので、負の重力屈性を示す。
× 2 この反応の刺激は光で、ホウセンカの茎の先端は刺激に近づくように曲がるので、正の光屈性を示す。
× 3 この反応の刺激は子房の中の胚のうから分泌される化学物質で、花粉管は刺激に近づくように伸びるので、正の化学屈性を示す。
○ 4 この反応の刺激は接触であるが、オジギソウの小葉が閉じて葉柄が垂れ下がる方向は一定で刺激の方向とは関係がない。よって、この反応は接触傾性である。
× 5 この反応の刺激は接触で、アサガオのつるは接触相手の支柱に巻きついて伸びるので、正の接触屈性を示す。

SECTION 3 自然科学

12 化学

過去

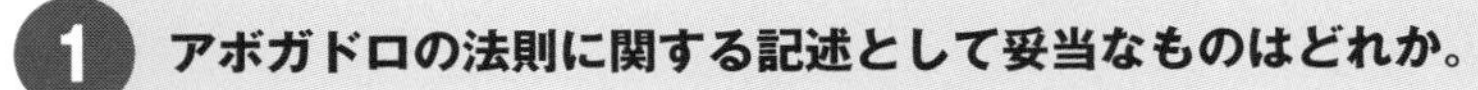

1 アボガドロの法則に関する記述として妥当なものはどれか。

1　すべての気体は温度と圧力が一定の条件で比較するならば、一定の体積中に同じ数の分子を含む。

2　化学変化をする前の物質の総量と化学変化の後の物質の総量は等しい。

3　物質を構成する成分元素の質量比は、化合物の種類ごとに常に一定である。

4　二種類の化合物の間で、一定質量の元素と化合するほかの元素の質量は、簡単な整数比になる。

5　気体どうしの反応において、反応にあずかる気体の体積比は、簡単な整数比になる。

重要度	❗❗❗	解答時間	2分	正解	1

解説 **ここに出てくる化学の法則は、その内容を含めてしっかりおぼえておこう。**

○ 1 アボガドロの法則は、1811年にアボガドロによって提唱された。
× 2 質量保存の法則（ラボアジエ、1774年）に関する記述である。
× 3 定比例の法則（プルースト、1799年）に関する記述である。
× 4 倍数比例の法則（ドルトン、1803年）に関する記述である。
× 5 気体反応の法則（ゲイ＝リュサック、1808年）に関する記述である。

要点を整理しよう！

●いろいろな化学の法則の歴史を見てみよう。

1662年　ボイル**の法則**（ボイル、イギリス）
▼
1774年　質量保存**の法則**（ラボアジエ、フランス）
▼
1787年　シャルル**の法則**（シャルル、フランス）
▼
1799年　定比例**の法則**（プルースト、フランス）
▼
1803年　倍数比例**の法則**（ドルトン、イギリス）
▼
1808年　気体反応**の法則**（ゲイ＝リュサック、フランス）
▼
1811年　アボガドロ**の法則**（アボガドロ、イタリア）
▼
1840年　ヘス**の法則**（ヘス、ロシア）

過去

2 **20℃で1.0×10^5Paの窒素は、水1.0Lに6.8×10^{-4}mol溶ける。20℃で4.0×10^5Paの窒素が水3.0Lに接しているとき、この水に溶けている窒素の体積を標準状態に換算した体積として、最も妥当なのはどれか。ただし、標準状態での気体1molの体積は22.4Lとする。**

1 0.015L
2 0.045L
3 0.060L
4 0.18L
5 0.36L

重要度	❢❢	解答時間	3分	正解	4

一定温度で一定体積の溶媒に溶ける気体の物質量は、気体の圧力に比例する。

1.0×10^5Paの窒素は20℃の水1.0Lに6.8×10^{-4}mol溶けるので、4.0×10^5Paの窒素は20℃の水1.0Lに$6.8 \times 10^{-4} \times 4 = 2.72 \times 10^{-3}$［mol］溶ける。
一定温度の溶媒に溶ける気体の物質量は、溶媒の体積に比例するので、20℃の水3.0Lに溶ける窒素の物質量は、$2.72 \times 10^{-3} \times 3 = 8.16 \times 10^{-3}$［mol］
水3.0Lに溶けている窒素の体積を標準状態に換算すると、
$22.4 \times 8.16 \times 10^{-3} \fallingdotseq 0.18$L

CHECKPOINT

●ヘンリーの法則

温度が一定のとき、一定量の溶媒に溶けることができる気体の物質量は、その気体の圧力に比例する。

3 **200gの水をいれた1,000gの鉄製の容器を熱したところ、水と容器の温度が20℃から50℃になった。鉄の比熱を0.45J/g・K、水の比熱を4.2J/g・Kとしたとき、水と容器の得た熱量を合わせたものとして、妥当なのはどれか。**

1. 2.3×10^4 J
2. 2.5×10^4 J
3. 3.9×10^4 J
4. 4.2×10^4 J
5. 6.5×10^4 J

重要度	❗❗	解答時間	3分	正解	3

温度上昇に使われた熱量は、比熱×質量×上昇温度で求められる。

20℃の鉄（比熱0.45J/g・K）でできた容器1,000gを50℃にするのに必要な熱量は、

$0.45 \times 1000 \times (50 - 20) = 13500 \fallingdotseq 1.4 \times 10^4$ [J]

20℃の水（比熱4.2J/g・K）200gを50℃にするのに必要な熱量は、

$4.2 \times 200 \times (50 - 20) = 25200 \fallingdotseq 2.5 \times 10^4$ [J]

よって、水と容器の得た熱量の合計は、

$1.4 \times 10^4 + 2.5 \times 10^4 = 3.9 \times 10^4$ [J]

4 次のア～ウの記述中の空所A～Eに当てはまる数字・漢字の組み合わせとして、妥当なのはどれか。

ア 水酸化バリウムは（　A　）価の（　D　）塩基である。
イ アンモニアは（　B　）価の（　E　）塩基である。
ウ リン酸は（　C　）価の（　E　）酸である。

	A	B	C	D	E
1	1	2	3	強	弱
2	1	3	2	弱	強
3	2	1	3	強	弱
4	2	3	1	弱	強
5	3	1	2	強	弱

重要度	！！！	解答時間	1分30秒	正解	3

電離度が1に近い酸・塩基を強酸・強塩基、電離度が小さい酸・塩基を弱酸・弱塩基という。

ア 水酸化バリウムの化学式は$Ba(OH)_2$で、2価の強塩基である。
イ アンモニア（NH_3）は水（H_2O）に溶け、$NH_3 + H_2O \rightarrow NH_4^+ + OH^-$と電離するので、1価の弱塩基である。
ウ リン酸の化学式はH_3PO_4で、3価の弱酸である。

要点を整理しよう！

●酸の強弱

強酸	塩酸HCl、硝酸HNO_3、硫酸H_2SO_4
弱酸	酢酸CH_3COOH、二酸化炭素CO_2、硫化水素H_2S、リン酸H_3PO_4

●塩基の強弱

強塩基	水酸化ナトリウム$NaOH$、水酸化カリウムKOH、水酸化カルシウム$Ca(OH)_2$、水酸化バリウム$Ba(OH)_2$
弱塩基	アンモニアNH_3、水酸化銅（Ⅱ）$Cu(OH)_2$、水酸化鉄（Ⅲ）$Fe(OH)_3$

過去

5 金属のイオン化傾向に関する記述として、妥当なものはどれか。

1 金属をイオン化傾向の大きい順に並べたものをイオン化列といい、Agは、KとNaの中間のイオン化傾向を示す。

2 イオン化傾向の大きな金属は陰イオンとなるため、電子が遊離して次々とイオン化が生じ腐食が進行する。

3 金属の単体が、水または水溶液中で陽イオンとなる性質の強さを、その金属のイオン化傾向という。

4 金属の中でイオン化傾向が最も大きい金属はプラチナであり、最も小さい金属はマグネシウムである。

5 亜鉛メッキした鉄板とスズメッキした鉄板とでは、表面に傷がついた場合、後者の方が腐食に耐える。

重要度	 	解答時間	2分	正解	3

解説 **金属をイオン化傾向の大きい順に並べたものをイオン化列という。**

× **1** KとNaの中間のイオン化傾向を示すのはCa。

× **2** イオン化傾向の大きな金属は陽イオンとなる。

○ **3** 金属が陽イオンになろうとする傾向を金属のイオン化傾向という。

× **4** イオン化傾向が最も大きい金属はリチウム、最も小さい金属は金である。

× **5** 亜鉛は鉄よりもイオン化傾向が大きく、スズは鉄よりもイオン化傾向が小さいので、スズメッキした鉄板の方が腐食されやすい。

6　2分子のエタノールから1分子の水を奪って縮合させるために、エタノールと共に熱する化合物として、妥当なものはどれか。

1　水酸化ナトリウム
2　過酸化水素
3　アンモニア
4　濃硫酸
5　希塩酸

重要度		解答時間	1分30秒	正解	4

分子間で水（H_2O）のような簡単な分子がとれて、新しい分子が生じる反応を縮合という。

このときの反応は次のように表され、ジエチルエーテルが生じるが、エタノールに濃硫酸を加えて約130℃に熱する必要がある。

$$2\,C_2H_5OH \longrightarrow C_2H_5{-}O{-}C_2H_5 + H_2O$$

このように、濃硫酸にはHとOを含む有機化合物から、H_2Oの形で脱水する力が強い。

CHECKPOINT

●有機化合物の反応

置換………1つの分子中の原子や基がほかの原子や基で置き換えられる反応。
付加………二重結合や三重結合が切れてほかの分子（Cl_2、Br_2、H_2など）と反応し、単結合となる反応。
エステル化……カルボン酸とアルコールから水がとれて縮合する反応。
けん化……エステルにKOHやNaOHなどの塩基の水溶液を加えて加熱すると、加水分解してアルコールとカルボン酸の塩になる反応。

7 次のア～オの化学反応式の下線部の物質が化学反応後に還元されたものの組合せとして、最も妥当なのはどれか。

ア $H_2S + \underline{I_2} \rightarrow S + 2HI$
イ $\underline{Mg} + Cl_2 \rightarrow MgCl_2$
ウ $\underline{Cu}O + H_2 \rightarrow Cu + H_2O$
エ $2H_2\underline{S} + O_2 \rightarrow H_2O + 2S$
オ $Fe + \underline{S} \rightarrow FeS$

1 ア、イ、エ
2 ア、ウ、オ
3 イ、ウ、エ
4 イ、オ
5 ウ、エ

重要度	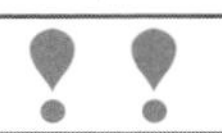	解答時間	2分	正解	2

酸化・還元は酸化数をもとに考えよう。酸化数が増加なら酸化、減少なら還元。

ア 酸化数は 0 →－1 に変化する。よって、Ｉは還元されている。
イ 酸化数は 0 →＋2 に変化する。よって、Mgは酸化されている。
ウ 酸化数は＋2 → 0 に変化する。よって、Cuは還元されている。
エ 酸化数は－2 → 0 に変化する。よって、Ｓは酸化されている。
オ 酸化数は 0 →－2 に変化する。よって、Ｓは還元されている。

CHECKPOINT

●酸化数の基本

単体の原子の数：0　　化合物中の成分元素の酸化数の総和：0
化合物中の酸素の酸化数：ふつう－2
化合物中の水素の酸化数：ふつう＋1

13 物理

過去

抵抗150Ωのニクロム線に100Ｖの電圧をかけたとき、30秒間に発生する熱量はいくらになるか。

1 1,500 J
2 2,000 J
3 3,000 J
4 3,500 J
5 4,500 J

重要度	❢❢❢	解答時間	3分	正解	2

解説

ジュールの法則により、導線に発生する熱量は、次のように表される。

熱量 Q [J]＝電流 I [A]×電圧 V [V]×時間 t [s]

オームの法則より、電流 I ［A］＝ $\frac{電圧V[V]}{抵抗R[\Omega]}$ となるので、上の式は次のように変形できる。

$$Q\ [J] = \frac{(V[V])^2}{R[\Omega]} \times t[s]$$

抵抗150Ωのニクロム線に100Vの電圧を30秒間かけたので、発生する熱量は、

$$\frac{100^2}{150} \times 30 = 2{,}000\ [J]$$

CHECKPOINT

●このほかの電気の基本法則

オームの法則………導線の両端に加えた電圧と流れる電流は比例する。

$$I=\frac{V}{R} \qquad V=RI \qquad R=\frac{V}{I}$$

（I：電流［A］、V：電圧［V］、R：抵抗［Ω］）

フレミングの左手の法則………左手の３本の指を互いに直角に開き、中指を電流の向き、人さし指を磁場の向きに合わせると、親指が力の向きを示す。

レンツの法則………コイルを貫く磁力線の数の変化を妨げるような向きに誘導電流が流れる。

電磁誘導の法則……誘導起電力の大きさは、コイルを貫く磁力線の数の変化が速いほど、また、コイルの巻き数が多くなるほど大きくなる。

シンセサイザーを使って、ある振動数の音を2つのスピーカーから出すと、音がよく聞こえる場所と聞こえない場所ができる。これは、次のどの現象に最も関係があるか。

1 屈折
2 反射
3 共鳴
4 回折
5 干渉

重要度		解答時間	2分	正解	5

解説 **それぞれどのような現象であるかよく覚えておこう。**

× 1 屈折は、空気と水のように違う媒質の間を進むとき、その境界で波が折れ曲がる現象。
× 2 反射は、波が物体に当たってはねかえる現象。
× 3 共鳴は、おんさなどの振動体が、固有振動数が同じほかの振動体に振動を伝える現象。
× 4 回折は、波が障害物のかげになる場所にもまわりこんで伝わっていく現象。
○ 5 干渉は、波長の等しいいくつかの波が重なって、振動を強めあったり、弱めあったりする現象。

3 波に関する記述として、妥当なものはどれか。

1 波の振動数は、波の周期の逆数に等しい。
2 波の速さは、1秒間に、ある点を通過する波の山の数のことをいう。
3 波の進行方向と同じ方向に振動する波を横波という。
4 振動数が全く同一の波が同時に進行すると、うなりという現象を生じる。
5 波長は、波の速さが速くなるほど短くなる。

重要度		解答時間	2分	正解	1

解説 波の波長、周期、振動数、速さの関係をおさえておこう。

○ 1 一定時間に媒質の1点を通過する波の数を振動数、波が1波長だけ進むのにかかる時間を周期という。
× 2 単位時間に山や谷が進む距離を、波の速さという。
× 3 波の振動方向が波の進行方向と直角である波を横波という。波の進行方向と同じ方向に振動する波は縦波である。
× 4 うなりが生じるのは、振動数がわずかに異なる波が同時に進行する場合である。
× 5 波長は、波の速さに比例する。

CHECKPOINT

●波の基本式

$v=\frac{\lambda}{T}=f\lambda$　　$f=\frac{1}{T}$

（v：波の速さ［m/s］、λ：波長［m］、T：周期［s］、f：振動数［Hz］）

4 **直線道路上で停止していた自動車が一定の加速度で加速し、15秒後に14m/sとなった。その後、30秒間は等速運動をしたのち、ブレーキをかけて一定の加速度で減速し、10秒後に停車した。加速を始めてから止まるまでに自動車が進んだ距離として、正しいのはどれか。**

1. 555m
2. 595m
3. 645m
4. 695m
5. 745m

重要度	！！！	解答時間	4分	正解	2

解説 **等加速度直線運動の公式を使って計算するよりも、$v-t$ 図から考えたほうが素早く解答できる。**

問題文の$v-t$ 図は、下のように表される。

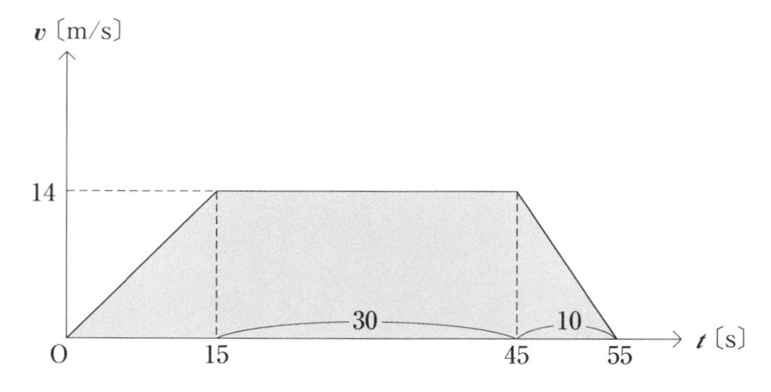

$v-t$ 図では、グラフの□の部分（この場合は台形の面積）が進んだ距離になる。よって、加速を始めてから止まるまでに自動車が進んだ距離は、

$$\frac{1}{2}\times(30+55)\times14=595\ [\mathrm{m}]$$

過去

5 **地上29.4mの高さから、小球を鉛直上向きに初速度24.5m/sで発射した。重力加速度の大きさを9.8m/s²としたとき、発射してから小球が地面に達するまでの時間として、正しいのはどれか。ただし、空気の抵抗はないものとする。**

1. 3.0s
2. 4.0s
3. 5.0s
4. 6.0s
5. 7.0s

重要度		解答時間	2分	正解	4

鉛直上向きを正とすると、重力加速度や高さは負になることに注意する。

$y = v_0 t - \frac{1}{2} g t^2$において、$y = -29.4$［m］、$v_0 = 24.5$［m/s］、$g = 9.8$［m/s²］を代入すると、

$$-29.4 = 24.5 \times t - \frac{1}{2} \times 9.8 \times t^2 \qquad t^2 - 5t - 6 = (t-6)(t+1) = 0$$

$t > 0$より、$t = 6$［s］

CHECKPOINT

●鉛直投げ上げ

$$v = v_0 - gt \qquad y = v_0 t - \frac{1}{2} g t^2 \qquad v^2 - v_0^2 = -2gy$$

（v：速さ［m/s］、v_0：初速度［m/s］、g：重力加速度［m/s²］、t：時間［s］、y：移動距離［m］）

過去

6 **媒質Aから媒質Bへ平面波が伝わっている。媒質Aでの波の速さは21m/s、媒質Bでの波の速さは15m/sである。入射角が45°であったときの屈折角として、最も妥当なのはどれか。ただし、sin45°＝0.7とする。**

1 15°
2 30°
3 45°
4 60°
5 75°

重要度		解答時間	2分	正解	2

解説 **屈折の法則を使って考えよう。**

屈折の法則で、入射角は45°なので、$\sin i = \sin 45° = 0.7$、$v_A = 21\text{m/s}$、$v_B = 15\text{m/s}$より、

$\frac{0.7}{\sin r} = \frac{21}{15}$　$\sin r = 0.5$

よって、屈折角rは30°になる。

CHECKPOINT

●屈折の法則

$\frac{\sin i}{\sin r} = \frac{v_A}{v_B}$

（i：入射角、r：屈折角、v_A：媒質Aでの波の速さ、v_B：媒質Bでの波の速さ）

7 **縦横ともに長さ１mで厚さ10cmの直方体の形をした均質な板を水に浮かべたところ、水面と平行になって安定し厚さ10cmのうち水中の部分が６cmであった。この板を比重1.2の液体の中に同じように浮かべたとき、液体中に沈んだ部分が全体の体積に占める割合はどれか。**

1　30％
2　35％
3　40％
4　45％
5　50％

重要度	❢❢❢	解答時間	3分	正解	5

水に浮かべたときと比重1.2の液体に浮かべたときに、板にはたらく浮力の大きさは等しいことから考える。

物体が液体に浮いているとき、物体にはたらく重力と液体からの浮力はつりあっているので、物体の重さ＝浮力の大きさ。このときの浮力の大きさ（物体の重さ）は、物体が押しのけた液体の重さと等しい。
水の比重は1.0なので、板が押しのけた水の重さは、$1.0 \times 100 \times 100 \times 6$で表される。比重1.2の液体に浮かべたとき、液体中に沈んだ部分がx［cm］とすると、板が押しのけた液体の重さは、$1.2 \times 100 \times 100 \times x$となる。よって、
$1.0 \times 100 \times 100 \times 6 = 1.2 \times 100 \times 100 \times x$より、$x = 5$［cm］。板の厚さは10cmより、水に沈んだ部分は、全体の$5 \div 10 \times 100 = 50$［％］

CHECKPOINT

●力の基本法則

フックの法則……………弾性力の大きさは、ばねののびに比例する。
アルキメデスの原理……液体中の物体は、その物体が押しのけている液体の重さに等しい大きさの浮力を受ける。

14 地学

過去

1 地形に関する記述として、妥当なものはどれか。

1 三日月湖と呼ばれる湖は、山間部の傾斜の急な地形にできることが多い。

2 活断層とは、１年間に１mm以上のずれを生じて動いている断層のことをいう。

3 鍾乳洞は、溶岩流が固まる前に中心部の溶岩が抜けてできた洞窟に端を発してできる。

4 サンゴ礁は、炭酸カルシウムの硬い骨格を持った造礁サンゴなどの生物が集まってできている。

5 氷河の強い力によって、山頂部が鋭く削り取られたような地形をモレーンという。

重要度	❢❢	解答時間	2分	正解	4

解説 **地形には水のはたらきによってできたものや大地の変動によってできたものなどがある。**

× **1** 平野部を流れる川の蛇行した部分付近で洪水などが起こると、勢いのある水が蛇行した部分を通らずに、まっすぐ流れることがある。その後は新しい川筋を水が流れるため、蛇行した部分は取り残されて、三日月形の湖ができる。これを三日月湖という。

× **2** ごく近い地質時代にくり返しずれて活動したことのある断層を活断層という。活断層は今後もずれて地震を引き起こす可能性があるので、注目されている。

× **3** 隆起などによって地表に現れた石灰岩台地は、二酸化炭素を含む雨水や地表の水によく溶ける。このため、激しく侵食され、その内部に多くの空洞を生じ、その空洞に通じる縦穴が生じるという、独特な地形となる。これをカルスト地形という。鍾乳洞はカルスト地形の地下に生じる。

○ **4** 造礁サンゴとはサンゴ礁をつくるサンゴの総称で、炭酸カルシウムの骨格を持っている。

× **5** 氷河の強い侵食作用によって氷河に包み込まれた岩石などは、遠くまで運ばれ、土手のように積み上げられる。これをモレーン（氷堆石）という。

CHECKPOINT

●流水や大地の変動による地形

V字谷……………山間部の傾斜の急な川は、川底を侵食するはたらきが強い。このため、断面がV字形の谷がつくられる。

扇状地……………川が山間から急に平地に出るところでは、流速が急におそくなるため、堆積作用がさかんで、扇形の地形をつくる。

海岸段丘…………海岸が隆起し、波の侵食を受けて平らになった海底が海面上に出た地形。

リアス(式)海岸…海岸付近の山地が沈降し、谷が海面下に沈んだときにできる入り組んだ海岸。

過去

2 地震に関する記述として正しいものはどれか。

1 震度分布は、地震波の伝播によるから、どのような地殻構造においても必ず同心円状になる。

2 地震波のＰ波は波の進行方向に直角な方向に振動する横波で、Ｓ波は波の進行方向に振動する縦波である。

3 初期微動は、地震波のＳ波による揺れで、振幅が小さく、周期も短い。

4 地震波のＰ波は液体中を透過できないため地殻を媒体として伝わる。

5 固体中を伝わる地震波の速度はＰ波のほうがＳ波より速い。

重要度		解答時間	2分	正解	5

地震波に関する問題。Ｐ波とＳ波の特徴やそれによって起こる揺れに関してしっかり身につけておこう。

× **1** 震度分布は、ほぼ同心円状になるが、震源からの距離が同じでも、地盤の弱いところでは震度が大きくなる。

× **2** Ｐ波は振動方向が波の進行方向と同じ縦波、Ｓ波は振動方向と波の進行方向が垂直な横波である。

× **3** 初期微動はＰ波による揺れ、主要動はＳ波による揺れである。

× **4** 縦波であるＰ波は固体中だけでなく、液体中や気体中も伝わることができるが、横波であるＳ波は固体中しか伝わることはできない。

○ **5** 地殻中を伝わる速さは、Ｐ波は約 7 km/秒、Ｓ波は約 4 km/秒である。

過去

3 火成岩に関する記述として、最も妥当なのはどれか。

1 マグマが固化してできた火成岩には、深成岩、火山岩、堆積岩の3種類がある。

2 火山岩の特徴を示す斑状組織は、細かい結晶やガラス質の集まりである斑晶と、大きな結晶である石基からなる。

3 深成岩は、粒径のそろった鉱物結晶の集合体で、ガラスは含まれない。

4 火成岩は、ケイ長質鉱物と呼ばれる鉄やマグネシウムを含む黒っぽい鉱物からなる。

5 深成岩に分類される例として、流紋岩、結晶片岩、大理石がある。

重要度	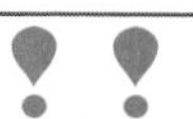	解答時間	2分	正解	3

火成岩のうち、深成岩は等粒状組織、火山岩は斑状組織をもつ。

× 1 火成岩は、マグマが地下深くでゆっくりと冷えて固まった深成岩と、マグマが地表や地表近くで急激に冷えて固まった火山岩に分けられる。堆積岩はれき・砂・泥や火山灰、生物の遺がいなどが堆積して長い年月の間に生じた岩石である。

× 2 細かい結晶やガラス質の集まりを石基、その中に散らばる比較的大きな結晶を斑晶という。

○ 3 深成岩がもつ等粒状組織とは、粒径のそろった鉱物結晶の集合体である。火山岩がもつ斑状組織に見られるガラス質の部分は、マグマが急激に冷やされて結晶になれなかった部分である。

× 4 造岩鉱物のうち、石英・長石のようにケイ素を多く含むものをケイ長質鉱物、かんらん石・輝石・角閃石・黒雲母のように鉄やマグネシウムを多く含むものを苦鉄質鉱物という。

× 5 深成岩には花こう岩、閃緑岩（せんりょくがん）、はんれい岩などがある。流紋岩は火山岩、結晶片岩と大理石は火成岩や堆積岩が熱や圧力によって変化して生じた変成岩である。

4 **次は、日本の気象に関する記述であるが、空所A～Dに該当する語句の組み合わせとして、妥当なものはどれか。**

冬になると、日本付近は（　A　）高気圧の影響を受け、西高東低の気圧配置となり（　B　）の季節風により（　C　）は雨や雪となる。反対に（　D　）では、空気が乾燥し晴天となることが多い。

	A	B	C	D
1	オホーツク海	北東	太平洋側	日本海側
2	オホーツク海	北西	日本海側	太平洋側
3	オホーツク海	北西	太平洋側	日本海側
4	シベリア	北西	日本海側	太平洋側
5	シベリア	北東	日本海側	太平洋側

重要度		解答時間	2分	正解	4

西高東低の気圧配置とは、日本列島の西に高気圧、東に低気圧がある状態を指し、典型的な冬の気圧配置である。

A　シベリア高気圧は冬のころ、シベリア地方で発達する。オホーツク海高気圧は梅雨や秋の長雨のころに、オホーツク海で発達する。

B　シベリア高気圧は非常に強大で、東方海上にある低気圧との気圧差が大きくなるため、北西の季節風が強く吹く。

C　シベリア高気圧から流れ出す空気は寒冷で乾燥しているが、日本海を移動する間に多量の水蒸気と熱を受けとり、不安定な状態になる。そして、日本列島の山脈を越える際に、日本海側に大雪を降らせる。

D　日本海側に大雪を降らせたため、空気は山脈を越えると乾燥しているので、太平洋側では乾燥した晴れの日が続く。

5 化石に関する記述中の空所A～Cに当てはまる語句の組合せとして、最も妥当なのはどれか。

　生物には、生息していた期間が短く、広い地域に分布していたものがいる。このような化石が見つかれば、地層はその短い期間に堆積したことが分かる。このような化石を（　A　）といい、例えば、クサリサンゴは（　B　）のよい例である。
　一方、地層が堆積した環境を知るのに役立つ化石を（　C　）といい、例えば、暖かくて浅い海に生息する造礁性サンゴは（　C　）のよい例である。

	A	B	C
1	示準化石	古生代	示相化石
2	示準化石	中生代	示相化石
3	示相化石	古生代	示準化石
4	示相化石	中生代	示準化石
5	示相化石	新生代	示準化石

重要度	❗❗❗	解答時間	2分	正解	1

地層が堆積した地質年代を知る手がかりとなるのが示準化石、地層が堆積した当時の環境を知る手がかりとなるのが示相化石。

A　生息していた期間が短く、広い地域に分布していた生物の化石からは、地層が堆積した地質年代を知ることができる。このような化石を示準化石といい、離れた地域の地層の対比にも用いられる。

B　古生代の示準化石としては、クサリサンゴのほかにフズリナ、サンヨウチュウなどが代表的である。

C　地層が堆積した当時の環境を知る手がかりとなる化石を示相化石という。造礁性サンゴは代表的な示相化石で、暖かく浅い海であったことを示している。

過去

6 地球の公転軌道は楕円軌道であるため、太陽から最も近い地点（近日点）と最も遠い地点（遠日点）を通過するが、地球の公転速度が最も速くなる月として妥当なのはどれか。

1　1月
2　4月
3　7月
4　10月
5　12月

重要度	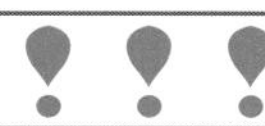	解答時間	1分30秒	正解	1

解説　地球の近日点通過は1月上旬、遠日点通過は7月上旬である。

惑星の公転速度は一定ではなく、公転軌道上の位置によって変化し、近日点（1月上旬）で最も速く、遠日点（7月上旬）で最も遅くなる。

CHECKPOINT

●ケプラーの法則

第一法則…惑星の公転軌道は太陽を1つの焦点とする楕円である。
第二法則…一定時間に惑星と太陽を結ぶ線分が描く面積は等しい。
第三法則…太陽からの平均距離の3乗と公転周期の2乗の比は、惑星によらず一定になる。

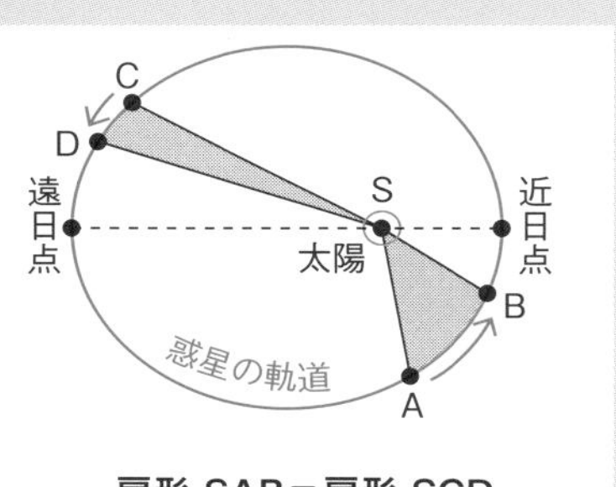

扇形 SAB＝扇形 SCD

7 恒星の性質に関する記述として、最も妥当なのはどれか。

1 地球から見た天体の明るさを見かけの等級といい、明るい星ほど等級は大きくなる。

2 地球と太陽間の平均距離に対して恒星のなす角を年周視差といい、遠方の恒星ほど大きくなる。

3 恒星までの距離を表す単位にパーセクがあり、1パーセクは光が1年間に進む距離である。

4 すべての恒星を10パーセクの距離において見たと仮定したときの恒星の明るさの等級を絶対等級という。

5 恒星は表面温度の違いによって色が異なり、赤い恒星は青い恒星より表面温度が高い。

重要度		解答時間	2分	正解	4

解説 見かけの等級と絶対等級の違いを整理しておこう。

× **1** 見かけの等級では、最も明るい星を1等星、肉眼で見える最も暗い星を6等星とし、1等星は6等星の100倍の明るさとされる。
× **2** 年周視差は、恒星までの距離に反比例し、地球に近いほど大きくなる。
× **3** 光が1年間に進む距離は1光年で、年周視差1″の恒星までの距離を1パーセクといい、1パーセクは3.26光年である。
○ **4** 光度を一定として考えると、恒星の明るさは距離の2乗に反比例する。太陽の見かけの等級は－26.8等であるが、絶対等級は4.8等になる。
× **5** 表面温度が高いほうから順に、青白色、白色、黄色、橙色、赤色。

SECTION 3 自然科学 ココを押さえる

数学

■三平方の定理、二次関数、正弦定理など高校初級の問題が多く出題されます。
■主だった公式は復習しておきましょう。

生物

■細胞や血液、遺伝といったものはよく出題されます。
■ヒトの体の仕組みや光合成も忘れないようにしましょう。

化学

■さまざまな法則は、整理してしっかりと理解しておきましょう。
■イオン化や有機化合物に関する問題も出題されます。

物理

■電気に関する法則や自由落下運動に関する公式は覚えておきましょう。
■光・音・波の問題にも慣れておいてください。

地学

■気象や地形、地震に関する問題はかならずチェックしてください。
■地球や恒星も基本事項です。

SECTION 4

一般知能

国語、英語の長文読解、数学を基本にした処理能力を試すもの、図形や条件をもとにして読み解く、与えられたグラフから判断する、などの問題です。
何度も練習することにより、解法のテクニックを確実に習得しましょう。

15 文章理解 ――― 156
16 数的処理 ――― 176
17 判断推理 ――― 192
18 資料解釈 ――― 210

■一般知能 ココを押さえる ― 218

※本書では、従来「数的推理」としていたものを「数的処理」と名称を変更しました。

15 文章理解

1 次の文章の空所（　　　）に入る語句として、最も妥当なものはどれか。

京にても京なつかしやほとゝぎす

いま自分は京に来ているのだが、偶然ほととぎすの啼くのを聴いた。すると卒然として過ぎし世の都大路が甦ってきて、そこを牛車で行きかう貴人をはじめ、さまざまな年齢、身分の人びとの姿が眼の裡にうかび、なつかしさの思いがこみあげてきた。——芭蕉のこの句は、うつしみの京と甦ってくる俤の京とを、わが胸のうちで打ち重ねて受けとめている。　（中略）

この「なつかしき京」は、われわれの感性と言葉がよく磨かれていれば、「なつかしき日本」に置き換えてゆける筈である。芭蕉が心をゆるがされた機縁はほととぎすの声だった。これは、自然に触れて（　　　）という意味と、音（音楽）を耳にして過ぎし日々の記憶が湧き出したという意味の、どちらにも理解することができる。

1 惜別の情が湧いた
2 憂愁の情が湧いた
3 哀惜の情が湧いた
4 惻隠の情が湧いた
5 懐古の情が湧いた

重要度	❗❗	解答時間	3分	正解	5

解説 **この文章のキーワードを見つければ、答えは分かりやすい。**

芭蕉の句の中の「京なつかしや」、文中の「なつかしさの思い」「なつかしき京」「なつかしき日本」さらに「過ぎし日々の記憶」。繰り返し現れるのは「なつかしい」という言葉である。芭蕉は「江戸時代の京」でほととぎすの声を聞いて、牛車が行き交う「平安時代の京」を思い浮かべて懐かしさを感じているのである。

では、1～5で、「なつかしい」に当たる内容があるのはどれだろうか。

1の「惜別」は「別れを惜しむこと」、2の「憂愁」は「悲しみ、嘆くこと」、3の「哀惜」は「人の死などを悲しみ惜しむこと」、4の「惻隠」は「哀れむこと」、5の「懐古」は「昔のことを懐かしく思い出すこと」。つまり、「なつかしい」という意味をもつのは5だけである。

要点を整理しよう！

●俳人松尾芭蕉

江戸前期の俳人、芭蕉の句は試験問題によく出るが、特に東北・北陸の旅を記した俳諧紀行の『おくのほそ道』の句は出題される確率が高い。ちなみに、問題文の「京にても京なつかしやほとゝぎす」は『己(おの)が光』に収載されている。

- 山路来て何やらゆかしすみれ草　『野ざらし紀行』
- 名月や池をめぐりて夜もすがら　『孤松(ひとりまつ)』
- よくみれば薺(なづな)花さく垣ねかな　『続虚栗(ぞくみなしぐり)』
- 花の雲鐘は上野か浅草か　『続虚栗』
- 旅人と我名よばれん初しぐれ　『笈(おひ)の小文(こぶみ)』
- いざ行(ゆか)む雪見にころぶ所迄　『笈の小文』
- おもしろうてやがてかなしき鵜舟哉(うぶねかな)　『曠野(あらの)』
- 夏草や兵(つはもの)共がゆめの跡　『おくのほそ道』
- 閑(しづか)さや岩にしみ入(いる)蝉の声　『おくのほそ道』
- 旅に病(やん)で夢は枯野をかけ廻(めぐ)る　『芭蕉翁追善之日記(ばしょうおうついぜんのにっき)』

過去

2 次の短文A～Fを並べかえて一つのまとまった文章にしたい。最も妥当な組み合わせはどれか。

A　しかしこの通念は、ふたつの点でうたがってみる必要がある。

B　というのも、儒教を国是とした同時代の東アジア諸国と比較した場合、どうも日本の儒教は、かなり、いい加減なものであった――といわざるをえないからである。

C　そして、さらに今日の日本人の倫理観・価値観のなかには、江戸時代に定着した儒教思想にもとづく部分がすくなくないとさえ指摘され、われわれも、そう信じこんでいるところがある。

D　江戸時代に幕府が基準とした政治思想は、古代中国に端を発する儒教だったといわれる。

E　また幕府は儒教思想を強要したため、その影響は、支配層であった武士社会にとどまらず、日本社会の隅々まで浸透したともいわれている。

F　第一に、幕府がどれほど儒学にいれあげていたかという点であり、第二は日本人が儒教の名のもとに理解してきた思想の内容に関してである。

1　D－A－B－C－F－E
2　D－B－E－C－A－F
3　D－E－C－A－F－B
4　D－F－A－E－C－B
5　D－C－F－B－E－A

重要度	❗❗	解答時間	4分	正解	3

解説 **起承転結を考えて、冒頭にくる文とそれに続く文を探してみよう。**

冒頭には接続詞で始まるものや、他の文を受けているものは来ない。Dが冒頭の文で、「起」である。

Dの「江戸幕府が政治思想の基準とした儒教」という内容を受ける文章を探すと、EとCが浮上する。これが「承」に当たる。

その後の順番はどうか。Fの「第一に」「第二は」は、Aの「ふたつの点」を受けていると考えられる。つまり、「しかし」という逆説の接続詞で始まるAが「転」で、「うたがってみる必要がある」という内容を説明しているのがFである。さらに、「というのも」と、その理由を述べているのがBで、これが「結」に当たる。　　(梅棹忠夫『日本文明77の鍵』文春新書　刊)

CHECKPOINT

●並べかえのテクニック（1）

限られた時間内で効率よく正解にたどりつくには、文中の言葉に注目して解く方法もある。この問題については、数を示す言葉に注目して解くこともできる。

1　Aの「ふたつの点」に注目

まず、A～Fの短文をざっと読むと、Aに「ふたつの点でうたがってみる」という言葉があることに気がつく。これは、Aの文の後に「ふたつの点」について述べた文章が来ることを示している。残りのB～Fの中で「ふたつの点」について述べている文章はFである。そこで、A→Fの順に文章が続くことがわかる。

2　A→Fがある選択肢を探す

A→Fが含まれる選択肢は**2**と**3**なので、**1** **4** **5**を候補から外す。

3　2と3を読み比べる

2と**3**の順番にそれぞれの文章を読んでみると、**2**では最初のD→Bで文意がわかりにくいことがわかる。そこで**3**の順番に従って読んでみると、文意が通じるので、正解は**3**とすることができる。

過去

3 次の文章の要旨として、最も妥当なものはどれか。

たとえば、私がパリの知人たちとおしゃべりをする際、彼らからの質問で、よく「あなたの生まれた高知というのは、東京からどのくらいの距離のところにあるのか」とか、「その高知にはどれくらいの人が住んでいるのか」とか、具体的な数値をたずねられることが多いが、これは私たち日本人がもっとも苦手とする質問なのではあるまいか。

私たちは、自国ではほとんどの場合、「かなり」とか、「けっこう多くの」といった表現で間にあわせているのだが、それはそういった大ざっぱな表現に対する「暗黙の了解」を共有しているからである。「古池や蛙とびこむ水の音」という一句を聞いても、この池が100メートル四方もありはしないことや、巨大な蛙が何匹もとびこむわけではないことが、私たちには当然のように了解されているわけだ。

なるほど、東京での「けっこう広い宅地」が50坪であったりすることは、ビバリーヒルズの住人には予測しようもあるまいし、「かなりの混雑」が東京のラッシュ時の殺人的な電車のものであることなど、サハラの遊牧民にとっては想像を絶してもいるだろう。したがって、人種の坩堝であるパリでは、数値にたよるしかないのが当然であるということとともに、逆にまた、日本がいかに横並びの均質な社会となり、ビバリーヒルズをもサハラをも想像しえない所となってしまっているかということにも、私たちは気づかねばなるまい。

1 私たちは多くの場合、仲間内で理解しあうたぐいの言葉しか持ちあわせていないため、外部の人々に対するあいまいさをかもし出している。

2 私たちには「古池や蛙とびこむ水の音」という一句を聞いて、池のおおよその広さや、蛙の数などは当然のように了解される。

3 東京での「けっこう広い土地」や、ラッシュ時の「かなりの混雑」はビバリーヒルズの住人や、サハラの遊牧民には想像しようもない。

4 日本語におけるあいまいさと言われるものは、大別すれば、「暗黙の了解」と「他人への配慮」という二つのものに由来している。

5 現代の若者たちが海外に出かけても、かつての世代と少しも変わらぬ「あいまいな日本人」という評価を受けて帰ってくる。

重要度	❢❢❢	解答時間	4分	正解	1

解説

文章の一部分ではなく、文章全体の「要旨」としてふさわしいものかに注目して選択肢を検討しよう。また、日本人の国民性について考えさせる文章の出題率はけっこう高いので、じっくり取り組むことが大切。

本文で、日本人の国民性を説明するキーワードになっているのは「暗黙の了解」である。具体的な数値で説明しなくても、「かなり」とか「けっこう多くの」といった表現でも間に合ってしまうのは、そういう大ざっぱな表現に対する「暗黙の了解」を共有しているからだと述べているが、それを肯定しているわけではない。最後の文で、人種の坩堝であるパリと比較しながら、日本が均質な社会となってしまったために、広大な邸宅が並ぶビバリーヒルズも、人口密度がかなり低いサハラも想像できなくなっていることに警告を発している。

○ **1** 「『暗黙の了解』を共有している」を「仲間内で理解しあうたぐいの言葉しか持ちあわせていない」と言い換えている。

× **2** 日本人が具体的な数値で説明しない理由を述べているだけである。これは文章の一部分であって、「要旨」ではない。

× **3** 日本人の大ざっぱな表現では「暗黙の了解」を共有していない外国人には理解できないことをいっているが、この文章では彼らが理解できないことを問題としているのではなく、理解できるような表現を日本人がしないことを問題としている。また、これは文章の一部分であって、「要旨」ではない。

× **4** 日本語におけるあいまいさが「他人への配慮」というものに由来しているとは、本文には書かれていない。

× **5** 本文には書かれていないことを述べている。

（加賀野井秀一『日本語の復権』講談社現代新書）

過去

4 次の文章の見出しとして、最も妥当なものはどれか。

ウェーバーによれば、カリスマ的支配の出現は古く、とりわけ宗教社会に顕著にみられた。予言者能力によって知られているのは、イザヤ、エレミア、キリスト、パウロたちであるが、古代ギリシア以来、政治社会においてもカリスマ的政治支配の実例がみられてきた。例えば、紀元前5世紀には、スパルタとの激戦中に死亡したアテナイの政治指導者ペリクレスがいた。また、近代には、ナポレオンがいる。ナポレオンはフランス革命後、民衆の熱狂的な支持のもとで皇帝の地位にまでのぼりつめた。これらの事例によって知ることのできるのは、政治の場で民衆がカリスマ的指導者を熱望するのは、ほとんどのばあい非日常的な危機においてである。すなわち、例えば、外敵の侵入によって民衆が困難に遭遇したときであるとか、あるいは、何らかの原因で国内に収拾のつかない混乱が起こり、その結果、終末を思わせるような時機においてカリスマ的指導者への要望が起る。従って、このような超人間的・神的能力として求められるカリスマ性は、一般に非日常的な時機と場所とにおいてあらわれるのが特徴といえよう。

ところで、このような非日常的なカリスマ性が民衆によって求められるのは、もともと不安定な政治状況をより安定した平穏な日常生活へ移行させるためである。従って、ひとたびカリスマによって危機が克服された段階においては、民衆は、より恒常的に安定した政治の持続を求めるようになる。そして、その条件を充たすものは、相対的に不安定な人格的支配としてのカリスマであるよりは、むしろ安定の永続を保証するカリスマでなければならない。そこに、人格的カリスマに代って世襲カリスマや官職カリスマが用意される。アダムとイヴの正統の子孫としての神性の血統をカリスマとする世襲制や、神の意志を地上に代行するローマ・カトリック教会の神聖な秩序としてのヒエラルキ、官僚制以降、カリスマの日常化が顕著となる。

1 カリスマの本質
2 カリスマの非日常性と日常化
3 カリスマがあらわれる非日常的な危機
4 カリスマ的指導者の条件
5 カリスマ的政治支配

重要度	❗❗❗	解答時間	3分30秒	正解	2

解説 **「見出し」としての妥当性ということを考えるのがヒント。**

1～5はどれも本文の内容と違ってはいない。だが、見出しというのはその文章の内容がどういう方向を指向しているのか、筆者の主張がどういうものなのかを端的に表す必要がある。

まず、本文の内容が大きく二つに分けられることに注目しよう。前半では、非日常的な危機の場合に現れるカリスマについて述べており、後半は危機が克服された段階で求められるカリスマについて述べている。

× 1 対象となる範囲が広すぎて本文の具体的な内容がつかめない。

○ 2 カリスマはその状況において求められる性質が違うということを簡潔に表していて、見出しとするにふさわしい。

× 3 前半の内容にしか触れていない。ここでは、非日常的な危機に求められるカリスマと、日常性が回復した時に求められるカリスマは異なるということが重要なのに、肝心の内容が含まれていないのである。

× 4 抽象的で筆者の主張が具体的にわからない。本文の中にある単語でキーワードを見つけることがポイントである。

× 5 本文の要旨からずれている。政治におけるカリスマの話ではない。

(飯坂良明・堀江湛編『ワークブック政治学』有斐閣選書　昭和62年　194～195頁)

過去

5 **次のA～Eを並べかえて、「ブッダはインド最北端（現在のネパール）のルンビニーに生まれた。」という文に続く首尾一貫した文章にしたい。最も妥当な順序はどれか。**

A　このブッダの歩行距離の意味は重大である。

B　ブッダの思想も信仰も世界観も、この歩行遍歴の生活の中で鍛えあげられたと考えられるからだ。

C　ときに八十歳であった。

D　やがて出家して旅に出発し、ガンジス河の中流域で伝道活動を開始した。最後はガンダキ川沿いに北上し、クシナガラで入滅している。

E　その遍歴行脚に明け暮れた道程（みちのり）は、かりにルンビニーとガンジス中流域のあいだを五百キロとすると、一往復するだけで一千キロにのぼる。

1　D－E－B－A－C
2　E－B－C－D－A
3　D－C－E－A－B
4　E－C－A－D－B
5　D－A－B－C－E

重要度		解答時間	3分	正解	3

解説 **冒頭の文に続くものはどれだろうか。**

冒頭の文はブッダの誕生について述べているから、その後の人生について説明しているものを探すと、ブッダが出家して入滅するまでの人生を説明しているDがあり、さらに入滅した年齢について述べたCがある。ちなみに「入滅」とは、仏教用語で「仏などが死ぬこと」。起承転結でいうと、ここまでが「起」にあたる。

そのブッダの人生を貫く伝道活動で歩いた距離に着目して、仮に計算してそれが一千キロにものぼると具体的な数字を挙げたのがEであり、ここが「承」とみてよい。

そして、一転してその数字のもつ重大さに目を向けたのがA「転」で、その重大さの意味を説明したのがBである。これが「結」となる。内容的にみても、最後に置くことができるのはこの文しかない。AやEでは尻切れトンボになってしまうし、Cでは結論としての内容がない。

これは、ブッダの思想が歩き続けるうちに鍛えあげられたという、含蓄のある文章である。

CHECKPOINT

●並べかえのテクニック（2）

「この」という指示語は、直前の言葉を指し示すヒントである。「この」が含まれる文に注目してみよう。

1　まず、A～Eの短文をざっと読むと、Aに「この～の歩行距離」という言葉がある。これは、Aの直前に距離についての文章があることを示しているので、残りのB～Eの中で距離について触れている文章を探すと、Eが該当する。そこで、E→Aの順に文章が続くことがわかる。

2　E→Aが含まれる選択肢は3だけなので、3の順番に従って読んでみると、文意が通じるので、正解は3とすることができる。

6 次の文章の要旨として、最も妥当なものはどれか。

現代の文明・文化は過去からの大きな遺産の継承の上にきずかれたものである。エジプト古代文明、ギリシア・ローマ文明は現代のエジプト、ギリシアだけがその継承者でなく、人類全体が継承者である。メソポタミア文明ももちろんイラクだけのものではないし、インド古代文明も現在のインド共和国だけの歴史遺産ではない。元（げん）の歴史は漢民族とモンゴル民族が共有する歴史であるし、メキシコ人はインディオとスペインの両文化の継承者である。わたしたち日本人も奈良・平安文化の継承者であると同時に唐文化・東アジア文化の継承者の一人である。一国史・地域史は世界史のなかに位置づけられて意味をもち、世界史は各国・諸地域の歴史に支えられて成立している。世界史と一国史は並列するものでもなければ、対立するものでもない。重層的に重なり合って歴史を構成しているのである。世界史と一国史は、日本の地方史が、日本史のなかで位置づけられ、日本の全体史が地方史に支えられて成立しているのと同じ関係である。日本と中国にはそれぞれ自国史があり、同時に日本と中国が共有する東アジアの歴史があり、日本と中国と他の世界の諸国が共有する世界史がある。

世界史のなかには諸文明、諸民族の接触や交流、対立や融合、征服や隷属などさまざまな「関係」が含まれる。また、ローマの歴史が地中海諸国の共通の歴史であるように、諸民族が共有する歴史もある。ヨーロッパの歴史、西アジアの歴史、アフリカの歴史、東アジアの歴史などは、近現代の歴史の展開のなかでたがいに結びつけられ、ひとつの世界史の流れを作ってきた。現代においては各地域、各国の歴史は個別に展開しているのではなく、世界史という流れのなかで展開している。

1 世界史は、それぞれの国民の一国史が集まったものである。
2 日本人には、日本史は他国史と異なり自国史としての特別な意味をもつ。
3 異文化理解のためには、世界史を学ぶことが必要である。
4 それぞれの国民・民族が自国史・自民族の歴史をもつ。
5 世界史は、すべての国民・民族にとって「わたしたち」の歴史なのである。

重要度	❗❗❗	解答時間	3分	正解	5

本文の中で繰り返し語られていることに注目しよう。

「エジプト古代文明、ギリシア・ローマ文明は現代のエジプト、ギリシアだけがその継承者でなく、人類全体が継承者である」「メソポタミア文明ももちろんイラクだけのものではないし……」など、世界中の主な文明の継承者について述べている。

共通しているのは、どんな文明もひとつの民族や国家が継承したのではないという主張である。この点から選択肢を検討すると、ひとつの国の文明史というくくり方をしているものは、本文の趣旨と異なる。

× **1** 本文の趣旨と異なる。

× **2** 本文には書かれていないことを述べている。

× **3** 「異文化理解のために」とあるが、さまざまな民族が同じ文明を継承するというとらえ方と、他国、他民族の文化を自分たちの文化とは別の文化と認識する「異文化」というとらえ方は相容れない。

× **4** 本文の趣旨と異なる。

○ **5** 冒頭の「エジプト古代文明、ギリシア・ローマ文明は……人類全体が継承者である」や、第一段落の末尾の「日本と中国と他の世界の諸国が共有する世界史がある」と符合している。「世界史を共有する」ことを、「『わたしたち』の歴史」と身近な言葉に置き換えている。本文の要旨として妥当だといえる。

（木下康彦他編『詳説世界史研究』山川出版社、「まえがき」より）

次の文章の要旨として、妥当なのはどれか。

万（よろづ）にいみじくとも、色好まざらん男（をのこ）は、いと※さうざうしく、玉の巵（さかづき）の当（そこ）なき心地ぞすべき。

露霜にしほたれて、所定めずまどひ歩（あり）き、親のいさめ、世のそしりを※つつむに心の暇（いとま）なく、※あふさきるさに思ひ乱れ、さるは独り寝がちに、※まどろむ夜なきこそをかしけれ。

さりとて、ひたすら※たはれたる方にはあらで、女にたやすからず思はれんこそ、あらまほしかるべきわざなれ。

※さうざうし（ものたりない）
※つつむ（はばかる）
※あふさきるさに（ああでもない、こうでもないと）
※まどろむ（仮寝する）
※たはれたる（恋に溺れている）

1　どんなに優れた男でも、好色な男は底のない杯のようにだらしなく、住まいも定めず、ぐっすり眠れる夜もないような人生を送りがちである。
2　男は堅い一方でなく、ひたむきな恋をしながら、それでいて簡単には落ちないように見えるのが好ましい。
3　男は親の忠告や世間の非難などは無視して、住まいなど定めず、ひたすら恋に溺れる人生を選ぶべきである。
4　好色な男が露にびっしょり濡れて、独り寝をしたり、しばし仮寝をすることさえできないのを見るほどおかしいことはない。
5　親の忠告や世間の非難にも耳を貸さず、女を追いかけてあちこちさまよい歩く男の方が、女には好ましく見える。

重要度	❢❢	解答時間	3分30秒	正解	2

兼好法師の随筆『徒然草』第三段の文章である。

兼好は僧侶だった割にはさばけた人物だったようで、光源氏や在原業平(ありわらのなりひら)のようにひたむきな恋心につき動かされて行動することを肯定している。かつては「色好み」というのは、現在の「好色」とは違って、洗練された男をいうほめ言葉だった。古語の「をかし」も、現代語の「おかしい」の意ではなく、「趣がある」という意味である。それらの古語の意味を頭に入れて、正しく解釈することが必要。

× **1** 「色好み」を否定的にとらえていて、本文の内容とは異なる。
○ **2** ひたむきな恋をしても、恋に溺れないという、兼好から見た男のあるべき姿をとらえた内容になっている。
× **3** 「恋に溺れる人生を選ぶべきである」とあるが、本文では、恋に溺れるのでなく、女から手ごわいと思われることこそかっこいいといっている。
× **4** 「をかし」の解釈が間違っている。
× **5** 「女には好ましく見える」としているが、ここでは女から見て、ではなく、男である兼好が好ましいと考える男性像について語っている。

現代語訳

あらゆることにすぐれていようと、ひたむきな恋をしないような男は、ひどく物足りなくて、玉でできた杯の底がないもののような心もちがすることだろう。

露に濡れて、所も定めずあちらこちらとさまよい歩いて、親の忠告や世の非難に気を使って心の休まる暇もなく、ああでもないこうでもないと心が乱れ、けっきょくは独り寝をしてばかりで、しばし仮寝をする夜もないような有り様こそ情緒があるというものだ。

そうかといって恋におぼれてしまっているというのでなく、女からたやすくは落とせない男だと思われることこそ、望ましい様子というべきなのだ。

過去

8 次の英文の内容と一致しているものはどれか。

Most of the adventures recorded in this book really occurred; one or two were experiences of my own, the rest those of boys who were schoolmates of mine. Huck Finn is drawn from life; Tom Sawyer also, but not from an individual—he is a combination of the characteristics of three boys whom I knew, and therefore belongs to the composite order of architecture.

The odd superstitions touched upon were all prevalent among children and slaves in the West at the period of this story—that is to say, thirty or forty years ago.

Although my book is intended mainly for the entertainment of boys and girls, I hope it will not be shunned by men and women on that account, for part of my plan has been to try to pleasantly remind adults of what they once were themselves, and of how they felt and thought and talked, and what queer enterprises they sometimes engaged in.

【語句】composite order　混合様式　　superstitions　迷信
prevalent　広く行き渡った　　shun　～を避ける
queer enterprises　奇妙なくわだて

1 この本は、おもに少年少女の楽しみのために書かれたものである。
2 この物語は、すべて作者自身の経験に基づいている。
3 ハック・フィンもトム・ソーヤーも、実在の個人がモデルになっている。
4 物語に出てくる迷信は、今でも西部で広く浸透している。
5 大人たちは、かつて自分たちがどんなだったかをよく覚えている。

重要度	❗❗	解答時間	3分	正解	1

解説

○ 1 おもに少年少女の娯楽のためのものである、と述べられている。

× 2 すべてが作者の経験から書かれたのではなく、彼の友人たちの経験も生かされている、と述べられている。

× 3 ハック・フィンやトム・ソーヤーは、個人がモデルではない、と述べられている。

× 4 物語に出てくる迷信は、30〜40年前に流行していた、と述べられている。

× 5 作者は物語の中で、大人たちがかつて自分たちがどのようだったかを思い出させようと計画している、と述べている。それは、大人が少年少女だったころのことを忘れてしまっているのでは、と作者が考えているとも解釈できる。

全訳

この本に記されている冒険のほとんどは、実際にあったことである。ひとつふたつは私自身の、または他は私の学友だった少年たちの経験である。ハック・フィンは、くらしの中から描いた。トム・ソーヤーもそうである。しかし、それは個人ではなく、私が知っていた３人の少年たちの性格を混ぜ合わせたものである。それゆえ、混合様式で組み立てられている。

（作品の中に）出てくる奇妙な迷信は、西部でこの物語の時代、すなわち30〜40年前に、子どもたちや奴隷たちの間で流行していた。

私の本は、おもに少年少女の娯楽のためのものであるが、私はそのために、この本が大人の男女から避けられないことを望んでいる。というのも、私の計画の一部は大人たちに、彼ら自身がかつてどんなであったか、彼らがどのように感じて考えて話したか、そしてどのような奇妙なくわだてに時折没頭したかを、愉快に思い出させようとするものだからである。

9 次の英文の内容と一致しているものはどれか。

Some people point out that a great number of young people are exposed to risks of becoming either victims or victimizers with the use of cell-phones as the medium.

There are, in fact, such instances. There are more and more unfortunate cases where minors get involved in wrongdoings. On the other hand, there are people who are learning a lot by expanding the human network and making exchanges with different people using cell-phones. In other words, it is not actually the tool itself, but people who use it that create problems.

1 携帯電話の普及により若者が会った事もない他人と気安く連絡することができるようになった。
2 携帯電話の普及により若者が犯罪行為に関わってしまうことがある。
3 携帯電話の普及により、人の輪を広げ、さまざまな人と交流を希望する若者が増えた。
4 携帯電話を媒体とした犯罪は、使う人のモラルを試すものである。
5 携帯電話は、若者の生活に欠かせないメディアとなってきた。

重要度		解答時間	3分	正解	2

解説

point out 指摘する　be exposed to さらされる　victim 被害者
victimizer 加害者　cell-phone 携帯電話　minor 未成年
get involved in 関わる　on the other hand 一方
in other words つまり

× 1 携帯電話の普及により若者が会った事もない他人と気安く連絡することができるようになったとは、本文にない。

○ 2 本文に携帯電話を媒体にして、多くの若者が被害者や加害者になってしまう危険にさらされていると指摘する人がいる、とある。

× 3 本文には、携帯電話の普及により、人の輪を広げ、さまざまな人と交流をする人もいる、とある。増えたとは、書いていない。

× 4 携帯電話を媒体とした犯罪は、ツールそのものではなく、そのツールのユーザーによって引き起こされる、と書いてあるが、使う人のモラルを試すものであるとは、書いていない。

× 5 携帯電話は、若者の生活に欠かせないメディアとなってきたという、記述は本文中にない。

全訳

携帯電話を媒体にして、多くの若者が被害者や加害者になってしまう危険にさらされていると指摘する人がいる。

確かにそういった事例もある。未成年者たちが犯罪に巻き込まれる不幸な事件は、引きも切らない。一方、携帯電話のおかげで輪が広がり、さまざまな人と交流することで多くを学んでいる人もいる。つまり、問題を起こすのは、実際にはツール自体というより、そのツールの使用者なのだ。

次の英文の空所、A～Eにあてはまる単語の組み合わせとして、妥当なものはどれか。

"Hello. This is Amy. (　A　) I speak to Susan, please?"
"Oh, hi Amy. It's me."
"Oh! Hi Susan. Are you free tonight?"
"Yes. What do you have in mind?"
"(　B　) don't you come to my apartment? We're having a birthday party for my cousin, Jane."
"I'd love to. When will the party begin?"
"Around 6:30"
"Ok, what (　C　) I bring?"
"Some sweets, (　D　) you don't mind."
"Ok, how about cookies?"
"Well, I think she likes chocolate cookies very much."
"All right."
"And you can play the guitar, can't you?"
"Yes, why?"
"(　E　) you play some music for Jane?"
"I'd love to."

	A	B	C	D	E
1	Can	And	must	so	Would
2	May	How	should	if	Could
3	May	Why	should	if	Could
4	Can	Then	must	and	Can
5	Do	Why	must	so	Can

重要度		解答時間	2分	正解	3

解説 **会話表現を覚えよう。**

A 「May I speak to～?」は、電話での応対の仕方で、「～さん、いらっしゃいますか」という意味。

B 「Why don't you～?」で、「～してはどうですか」「～しませんか」などの提案を表す。

C この場合の助動詞 should は、「～すればいい？」という意味。

D 「if you don't mind」で、「もしよければ」という意味。

E この場合の助動詞 could は、「～してもらえますか」という意味。

全訳

「もしもし、こちらエイミーです。スーザンさんをお願いします」
「あら、こんにちは。私よ」
「ああ、こんにちは、スーザン。今夜、あいてる？」
「ええ、どうしたの？」
「うちのマンションに来ない？　いとこのジェーンのバースデーパーティーがあるのよ」
「喜んで。パーティーは何時に始まるの？」
「6時半ごろよ」
「わかったわ。何を持っていけばいい？」
「もしよければ、お菓子をお願い」
「わかったわ。クッキーなんかどう？」
「そうね、彼女はチョコレートクッキーがとても好きだったと思うわ」
「わかったわ」
「それから、あなた、ギター弾けるわよね」
「ええ、なんで？」
「ジェーンのために、何か弾いてくれない？」
「喜んで」

16 数的処理

過去

1 **濃度がそれぞれ異なる食塩水A、B、Cがある。この3種類の食塩水を等量ずつ混合すると濃度0.40%の食塩水が得られ、AとBの2種類の食塩水をA:B＝2：3の割合で混合すると濃度0.48%の食塩水が得られるという。Cの食塩水の濃度が0.12%であるものとすると、BとCの食塩水をB：C＝3：1の割合で混合すると何%の濃度の食塩水が得られるか。**

1 0.12%
2 0.21%
3 0.24%
4 0.26%
5 0.28%

重要度		解答時間	3分	正解	2

解説 **混合後の食塩水の量を１として、まず連立方程式をつくり、食塩水Bの濃度を求める。**

食塩水Aの濃度をx［%］、食塩水Bの濃度をy［%］とする。３種類の食塩水を等量ずつ混合すると濃度0.40%の食塩水が得られるので、

$$\frac{1}{3}\times x+\frac{1}{3}\times y+\frac{1}{3}\times 0.12=0.40$$

よって、$x+y=1.08$　……①

AとBの２種類の食塩水をA：B＝２：３の割合で混合すると濃度0.48%の食塩水が得られるので、

$$\frac{2}{5}\times x+\frac{3}{5}\times y=0.48$$

よって、$2x+3y=2.4$　……②

②－①×２より、$y=0.24$［%］

BとCの食塩水をB：C＝３：１の割合で混合した食塩水の濃度は、

$$\frac{3}{4}\times 0.24+\frac{1}{4}\times 0.12=0.21\ [\%]$$

要点を整理しよう！

●割合しか与えられない場合は、全体を１として考える。

AとBをx：yの割合で混合する場合、全体を１として考える。

⬇

Aは全体の$\frac{x}{x+y}$、Bは全体の$\frac{y}{x+y}$となる。

⬇

それぞれの占める濃度の和が全体の濃度となる。

赤のカード7枚と青のカード5枚がある。この12枚のカードを青のカードが隣り合わないように横1列に並べるとき、その並べ方は何通りあるか。

1. 21通り
2. 28通り
3. 35通り
4. 42通り
5. 56通り

重要度	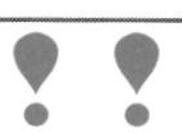	解答時間	3分	正解	5

青のカードが隣り合わないように並べるので、赤のカードの間か列の両端に青のカードを置くと考える。

まず赤のカードを下の図のように、1列に並べる。

○ 赤 ○ 赤 ○ 赤 ○ 赤 ○ 赤 ○ 赤 ○ 赤 ○

青のカードを置く場所は上に示した○の部分で、全部で8か所ある。この8か所のうち、5か所を選んで青のカードを置くので、組み合わせの公式を使って、

$$ {}_8C_5=\frac{{}_8P_5}{5!}=\frac{8!}{5!(8-5)!}=\frac{8\times7\times6}{3\times2\times1}=56\ \text{［通り］} $$

過去

3 **ある会社において、社員15人の中から、イベントの担当者を５人選ぶことになった。その組み合わせは全部で何通りあるか。**

1. 2,188通り
2. 2,304通り
3. 3,003通り
4. 3,936通り
5. 4,306通り

重要度	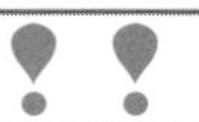	解答時間	2分30秒	正解	3

組み合わせの公式を利用して、組み合わせの数を求める。

15人の中から５人を選ぶので、その組み合わせの数は、

$$ {}_{15}C_5=\frac{{}_{15}P_5}{5!}=\frac{15!}{5!(15-5)!}=\frac{15\times14\times13\times12\times11}{5\times4\times3\times2\times1}=3{,}003 \text{［通り］}$$

CHECKPOINT

●順列と組み合わせの公式

順列……n 個の異なるものの中から異なる r 個をとって１列に並べる順列の総数は、

$$ {}_nP_r=\frac{n!}{(n-r)!}=n(n-1)(n-2)\cdots\cdots(n-r+1)$$

組み合わせ……n 個の異なるものから r 個をとる組み合わせの総数は、

$$ {}_nC_r=\frac{{}_nP_r}{r!}=\frac{n!}{r!(n-r)!}$$

過去 4

4個の不良品が混入している50個の製品から、無作為に5個の製品を取り出して検査をするとき、不良品が少なくとも1個含まれている確率として、最も妥当なのはどれか。ただし、取り出した製品は戻さず、選択枝の数値はいずれも小数点以下を四捨五入してある。

1 25%
2 30%
3 35%
4 40%
5 45%

重要度		解答時間	3分	正解	3

解説 **「少なくとも」とあるときは、ある事柄が起こる確率＝1－余事象の確率という公式を思い浮かべよう。**

事柄に対して、その事柄が起こらないことを「余事象」という。この場合、「不良品が少なくとも1個含まれている」ことの余事象は「不良品が1個も含まれていない」ことになる。5個の製品を取り出したとき、不良品が1個も含まれていない確率は、

$$\frac{46}{50} \times \frac{45}{49} \times \frac{44}{48} \times \frac{43}{47} \times \frac{42}{46} \fallingdotseq 0.65$$

したがって、5個の製品を取り出したときに不良品が少なくとも1個含まれている確率は、

$$1 - 0.65 = 0.35$$

百分率で表すと35%になる。

CHECKPOINT

●確率の求め方

$$確率 = \frac{確率を求めようとする事象の数}{起こりうる事象の総数}$$

1から200までの整数のうちで、4で割り切れ、3で割り切れない整数は何個あるか。

1　28個
2　30個
3　32個
4　34個
5　36個

重要度	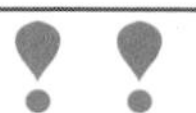	解答時間	3分	正解	4

解説　**4で割り切れる整数の数から、3でも4でも割り切れる整数の数を引けばよい。**

4で割り切れる整数は4の倍数なので、1から200までの整数のうちで、4で割り切れる整数の数は、200÷4＝50［個］
4でも3でも割り切れる整数は、3と4の最小公倍数である12の倍数なので、1から200までの整数のうちで、12で割り切れる整数の数は、

200÷12＝16…8

よって、16個である。したがって、4で割り切れ、3で割り切れない整数の数は、50－16＝34［個］

要点を整理しよう！

●求める整数は、下の図の斜線部分となる。

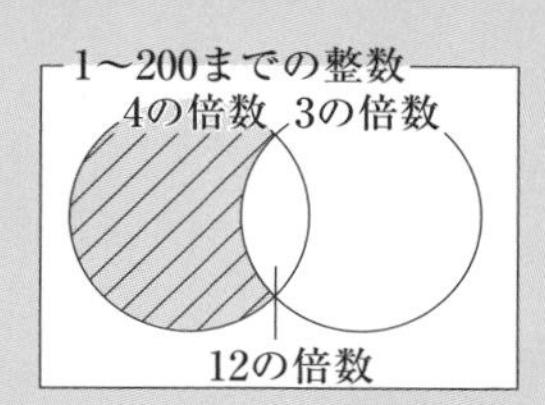

6 次の数列の（A）と（B）に該当する数を足すといくつになるか。

1 、 8 、18、31、47、（A）、88、113、141、（B）……

1 231
2 238
3 245
4 258
5 264

重要度		解答時間	3分30秒	正解	2

解説 **まず与えられた数から、数字の並び方の規則性を考える。**

右側の数から左側の数を順に引いていくと、次のようになる。

1 、 8 、18、31、47、（A）、88、113、141、（B）……

7　10　13　16　　　　25　28

3　3　3　　　　　3

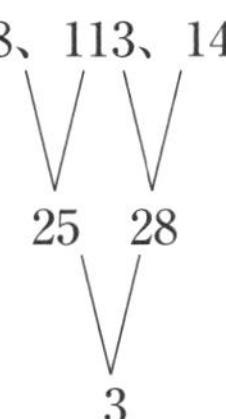

右側の差は左側の差よりも 3 ずつ大きくなっていることがわかる。よって、
（A）に入る数は、

47＋16＋ 3 ＝66

（B）に入る数は、

141＋28＋ 3 ＝172

したがって、（A）と（B）に該当する数の和は、

66＋172＝238

過去 7

4桁の整数ABCDを考える。数の並びを逆にしたDCBAがABCDより大きい4桁の整数となるようなABCDの個数として、最も妥当なのはどれか。ただし、A、B、C、Dには同じ数があってもよいとする。

1 4005個
2 4010個
3 6005個
4 6010個
5 8010個

重要度		解答時間	4分	正解	1

A、Dに入る数字を場合分けして考え、それをもとに、B、Cにあてはまる数字を考える。

A＜Dとなる組み合わせ

D	A
2	1
3	1、2
4	1、2、3
5	1、2、3、4
6	1、2、3、4、5
7	1、2、3、4、5、6
8	1、2、3、4、5、6、7
9	1、2、3、4、5、6、7、8

A＜Dの組み合わせは、上の36通りで、B、Cには0～9までどの数字が入っても構わないので、その個数は、

36×10×10＝3600［個］

A＝Dの場合、B＜Cとなる必要がある。その組み合わせは、Bが0の場合（Cは1～9）も考えられるので、

36＋9＝45［通り］

よって、その個数は、45×9＝405［個］

3600＋405＝4005［個］

過去

8

ある水族館の入場料は、大人1,600円、子供900円である。火曜日の入場料収入は127,600円であり、水曜日は、入場者数111人で入場料収入が144,000円であった。
水曜日の子供の入場者数は火曜日に比べて20人多かったものとすると、火曜日の大人の入場者数と水曜日の大人の入場者数の差は何人か。

1　1人
2　2人
3　3人
4　4人
5　5人

重要度	❗❗❗	解答時間	3分	正解	1

いわゆる鶴亀算である。まず水曜日の大人と子供の人数を求め、それを利用して火曜日の大人と子供の人数を求める。

水曜日に入場したのがすべて子供だとすると、入場料収入は、
　　900×111＝99900［円］
実際の入場料収入との差は、144000－99900＝44100［円］
よって、水曜日の大人の入場者数は、44100÷(1600－900)＝63［人］
水曜日に入場した子供の人数は、111－63＝48［人］
水曜日の子供の入場者数は火曜日に比べて20人多かったので、
火曜日の子供の入場者数は、48－20＝28［人］
火曜日の子供の入場料収入は、900×28＝25200［円］
よって、火曜日の大人の入場者数は、(127600－25200)÷1600＝64［人］
したがって、火曜日の大人の入場者数と水曜日の大人の入場者数の差は、
　　64－63＝1［人］

過去

9

1本50円の鉛筆、1本70円の色鉛筆、1本100円のボールペンをそれぞれ1本以上、計30本買って、その代金2,400円を支払った。ボールペンを最も多く買ったとき、ボールペンの本数は何本か。ただし、消費税は含まれているものとする。

1　8本
2　10本
3　12本
4　14本
5　16本

重要度	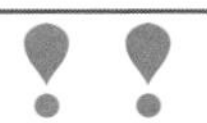	解答時間	3分30秒	正解	5

鉛筆、色鉛筆、ボールペンをそれぞれ1本ずつ買ったあとの本数と代金をもとにして、選択肢を検討する。

鉛筆、色鉛筆、ボールペンをそれぞれ1本ずつ買ったあとの代金は、

$2400-(50+70+100)=2180$［円］

また、残りの本数は、$30-3=27$［本］

「ボールペンを最も多く買ったとき」とあるので、選択肢のうちから本数の多いものから順に検討する。

ボールペンを16本買ったとき、すでに1本買っているので、残り15本の代金は、$15\times100=1500$［円］

新たに買った鉛筆と色鉛筆の代金の合計は、$2180-1500=680$［円］

このときの鉛筆と色鉛筆の本数の合計は、$27-15=12$［本］

すべて鉛筆を買ったときの代金は、$50\times12=600$［円］

よって、新たに買った色鉛筆の本数は、

$(680-600)\div(70-50)=4$［本］

新たに買った鉛筆の本数は、$12-4=8$［本］

したがって、鉛筆9本、色鉛筆5本、ボールペン16本のとき、条件を満たす。

10

4つの列車A、B、C、Dが、それぞれ一定の速さで走っている。列車A、B、Cは同じ向きに、列車Dはこれらと反対の向きに走っており、列車CとDはともに長さ176mで速さも同じである。長さ400mの列車Aを、長さ120mの列車Bが追いついて追い越すまでに130秒かかった。また、列車Bを列車Cが追いついて追い越すまでに37秒かかった。さらに、列車AとDが出会ってすれちがうまでに16秒かかった。このときの列車Cの速さとして、最も妥当なのはどれか。

1　16m/秒
2　20m/秒
3　24m/秒
4　28m/秒
5　32m/秒

重要度	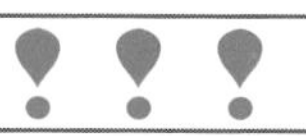	解答時間	3分	正解	3

解説　すれちがうとき、$\frac{2両の列車の長さの和}{2両の列車の速さの和}$＝かかった時間

列車A、B、C、Dの速さをv_A、v_B、v_C、v_Dとすると、長さ400mの列車Aを、長さ120mの列車Bが追いついて追い越すまで130秒かかったので、

$$\frac{400+120}{v_B-v_A}=130 \qquad 130v_B-130v_A=520 \qquad v_B-v_A=4 \quad \cdots\cdots①$$

列車Bを長さ176mの列車Cが追いついて追い越すまでに37秒かかったので、

$$\frac{120+176}{v_C-v_B}=37 \qquad 37v_C-37v_B=296 \qquad v_C-v_B=8 \quad \cdots\cdots②$$

列車AとDが出会ってからすれちがうまで16秒かかった。$v_C=v_D$より、

$$\frac{400+176}{v_A+v_C}=16 \qquad 16v_A+16v_C=576 \qquad v_A+v_C=36 \qquad v_A=36-v_C \quad \cdots\cdots③$$

③式を①式に代入して、

$$v_B-(36-v_C)=4 \qquad v_B+v_C=40 \quad \cdots\cdots④$$

②式＋④式より、

$$2v_C=48 \qquad v_C=24\ [\text{m/秒}]$$

過去

11 **A1人だと16日間、B1人だと24日間、C1人だと12日間かかる仕事がある。この仕事をAとBが2人で4日間行い、残りをAとCの2人で行って仕事を完了させた。この仕事を開始してから完了するまでに費やした日数は何日か。**

1 5日
2 6日
3 7日
4 8日
5 9日

重要度		解答時間	3分	正解	4

まず、それぞれの1日の仕事量を考えたあと、AとBが2人で行った仕事の量を求める。

全体の仕事量を1とすると、1日の仕事量は、Aは$\frac{1}{16}$、Bは$\frac{1}{24}$、Cは$\frac{1}{12}$となる。

AとBが2人ではたらいたときの1日の仕事量は、

$$\frac{1}{16}+\frac{1}{24}=\frac{3}{48}+\frac{2}{48}=\frac{5}{48}$$

AとBが2人で4日間はたらいたときの仕事量は、

$$\frac{5}{48}\times 4=\frac{5}{12}$$

AとCが2人ではたらいたときの1日の仕事量は、

$$\frac{1}{16}+\frac{1}{12}=\frac{3}{48}+\frac{4}{48}=\frac{7}{48}$$

AとCの2人で残りの仕事を完了させるのにかかる日数は、

$$\left(1-\frac{5}{12}\right)\div\frac{7}{48}=\frac{7}{12}\times\frac{48}{7}=4\ [日]$$

この仕事を開始してから完了するまでに費やした日数は、

$4+4=8$ [日]

SECTION 4 一般知能 16 数的処理

過去

12 **図のような１辺10cmの正五角形ABCDEの辺上を、点Pは頂点Aから矢印の方向に１秒間に５cmの速さで、点Qは頂点Dから矢印の方向に１秒間に３cmの速さで同時に動き始めたとき、初めて点Pが点Qに追いつくのは、正五角形のどの辺上か。**

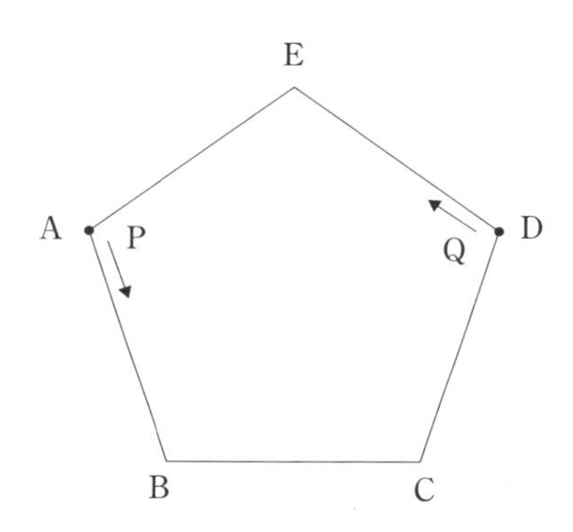

1　辺ＡＢ
2　辺ＢＣ
3　辺ＣＤ
4　辺ＤＥ
5　辺ＥＡ

重要度	!!	解答時間	3分	正解	3

点Pが点Qに追いつくのにかかる時間を求めたあと、そのときの点Qの位置を考える。

点Pは1秒間に5cm、点Qは1秒間に3cmの速さで同じ向きに動いているので、1秒間に点Pが点Qに近づく距離は、

$5-3=2$ [cm]

点Qが止まっていると考えたとき、点Pは1秒間に2cmずつ進んでいることになる。図より、点Pが点Qに追いつくまでに進む距離は辺ABCDなので、

$10\times3=30$ [cm]

よって、点Pが点Qに追いつくまでにかかる時間は、

$\frac{30}{2}=15$ [秒]

実際は点Qは1秒間に3cmの速さで動いているので、点Qが15秒間に進む距離は、

$3\times15=45$ [cm]

このとき、点Qは辺CD上にある。

CHECKPOINT

●速さと時間、距離の関係

速さ＝$\frac{距離}{時間}$

時間＝$\frac{距離}{速さ}$

距離＝速さ×時間

●旅人算

向かい合って進むとき……単位時間に近づく距離＝2人の速さの和
同じ向きに進むとき………単位時間に近づく距離＝2人の速さの差

過去

13 **図のようなAB＝ 8 cm、AD＝12cmの長方形がある。ADの中点をE、ACとBEの交点をF、ACとBDの交点をGとすると、三角形BFGの面積はどれか。**

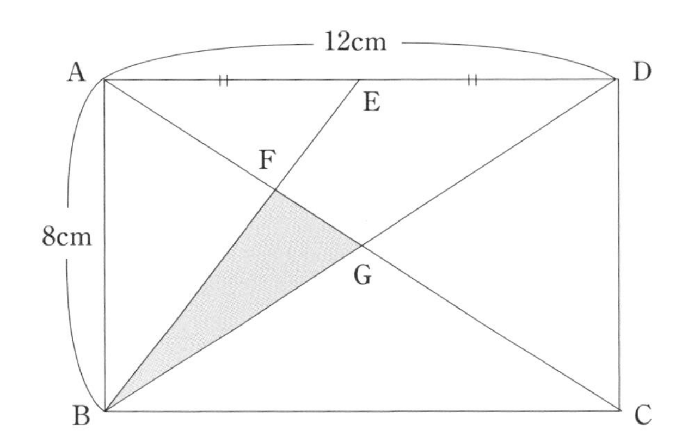

1. $8\ cm^2$
2. $10cm^2$
3. $12cm^2$
4. $14cm^2$
5. $16cm^2$

重要度	❗❗	解答時間	4分	正解	1

解説 **三角形AEFと三角形CBFは相似の関係にあることに注目する。**

ADの中点がEなので、DE＝6［cm］より、三角形BDEの面積は、

$\frac{1}{2}\times 6\times 8=24$［$cm^2$］……①

三角形ADGの面積は、EG＝4［cm］より、

$\frac{1}{2}\times 12\times 4=24$［$cm^2$］……②

∠EAFと∠BCFは錯角より、

∠EAF＝∠BCF

∠AFEと∠CFBは対頂角より、

∠AFE＝∠CFB

よって、2つの角が等しいので、三角形AEFと三角形CBFは相似である。

AE：CB＝1：2より

三角形AEFと三角形CBFの相似比は1：2

よって、三角形AEFの高さは、

$8\times\frac{1}{3}=\frac{8}{3}$［cm］

したがって、三角形AEFの面積は、

$\frac{1}{2}\times 6\times\frac{8}{3}=8$［$cm^2$］……③

②－③より、四角形DEFGの面積は、

$24-8=16$［cm^2］……④

①－④より、三角形BFGの面積は、

$24-16=8$［cm^2］

SECTION 4 一般知能

17 判断推理

1 A～Eの５人が次のような位置関係にいるとき、確実にいえるのはどれか。

ア Aから見てBは１km真東にいる。
イ Cから見てBは１km真南にいる。
ウ Dから見てAは１km真北にいる。
エ Eから見てCは１km真西にいる。

1 AとBとCの３人は一直線上に並んでいる。
2 Aから見てCは１km北東にいる。
3 Cから見てDは真東にいる。
4 BからEまでの距離と、CからAまでの距離は同じである。
5 DからCまでの距離は、DからEまでの距離よりも長い。

重要度	❗❗	解答時間	2分	正解	4

解説 **ア～エの条件をもとに、A～Eの位置関係を図に表してから、選択肢の正誤を考えよう。**

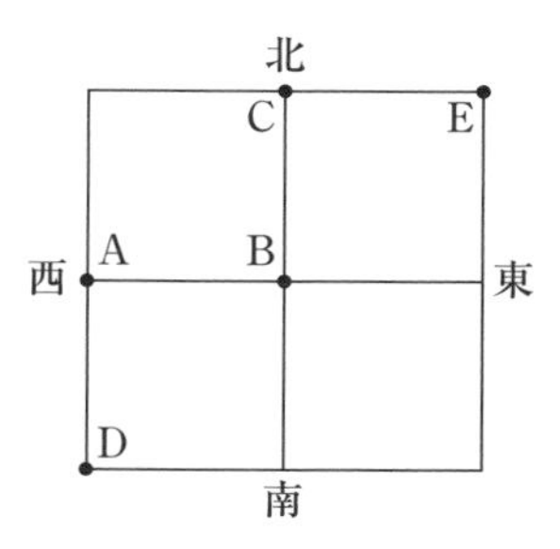

Aから見てBは1km真東にいる（**ア**）ので、AはBの1km真西にいることになる。Cから見てBは1km真南にいる（**イ**）ので、CはBの1km真北にいる。Dから見てAは1km真北にいる（**ウ**）ので、DはAの1km真南にいる。Eから見てCは1km真西にいる（**エ**）ので、EはCの1km真東にいることになる。よって、A～Eの位置関係は、右の図のようになる。

× **1** A、B、Cの3人は一直線上に並んでいない。

× **2** Aから見てCは北東にいるが、その距離は1kmよりも遠い。

× **3** Cから見て真東にいるのはEである。

○ **4** △BCEは直角三角形なので、BからEまでの距離は$\sqrt{2}$BC≒1.4［km］で、CからAまでの距離も約1.4［km］で等しい。

× **5** 三平方の定理より、DからCまでの距離は$\sqrt{2^2+1^2}$≒2.2［km］、DからEまでの距離は$2\sqrt{2}$≒2.8［km］なので、DからCまでの距離はDからEまでの距離よりも短い。

要点を整理しよう！

●基準になる人を決めて相対的な位置を考えよう。

ア、**イ**の両方に出てくるBを基準にして、A、Cの位置を決める。

⬇

ウをもとに、Aの位置からDの位置を決める。

⬇

エをもとに、Cの位置からEの位置を決める。

選択肢を吟味する。

過去

2 次のア、イの命題にある命題を加えて、「水泳が好きな人は、サッカーが好きではない」という結論を導けるようにするとき、加える命題として、妥当なものはどれか。

ア テニスが好きな人は、野球が好きである。
イ テニスが好きでない人は、水泳が好きではない。

1. サッカーが好きでない人は、テニスが好きではない。
2. サッカーが好きでない人は、テニスが好きである。
3. サッカーが好きな人は、野球が好きではない。
4. サッカーが好きでない人は、野球が好きではない。
5. サッカーが好きでない人は、野球が好きである。

重要度	！！！	解答時間	3分	正解	3

対偶と三段論法を使う。記号を使って命題を表すとわかりやすい。

仮定→結論とし、好きな場合は「スポーツ」、好きでない場合は「$\overline{\text{スポーツ}}$」と表すとする。命題**ア**と**イ**とその対偶は次のように表される。

	命題	対偶
命題**ア**	テニス→野球	$\overline{\text{野球}}$→$\overline{\text{テニス}}$
命題**イ**	$\overline{\text{テニス}}$→$\overline{\text{水泳}}$	水泳→テニス

選択肢1～5の命題とその対偶は次のようになる。

	命題	対偶
× 1	$\overline{\text{サッカー}}$→$\overline{\text{テニス}}$	テニス→サッカー
× 2	$\overline{\text{サッカー}}$→テニス	$\overline{\text{テニス}}$→サッカー
○ 3	サッカー→$\overline{\text{野球}}$	野球→$\overline{\text{サッカー}}$
× 4	$\overline{\text{サッカー}}$→$\overline{\text{野球}}$	野球→サッカー
× 5	$\overline{\text{サッカー}}$→野球	$\overline{\text{野球}}$→サッカー

導く命題は「水泳→$\overline{\text{サッカー}}$」となるので、三段論法より、

命題**イ**の対偶（水泳→テニス）→命題**ア**（テニス→野球）
→選択肢3の対偶（野球→$\overline{\text{サッカー}}$）

過去

3 **「判断力のない人は企画力のない人であり、論理的な思考ができない人は創造力に富む人ではない。また、企画力のない人は創造力に富む人でない」がいえる場合、論理的に確実にいえるものはどれか。**

1 論理的な思考ができる判断力のある人は企画力がある。
2 判断力のある人は企画力がある。
3 創造力に富む人は判断力がある。
4 企画力のある人は論理的な思考ができる。
5 企画力のある人は判断力があり、創造力にも富んでいる。

重要度	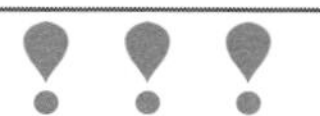	解答時間	2分30秒	正解	3

解説 **3つの命題それぞれの対偶から確実にいえるものを選択肢から選ぶ。**

与えられた命題は次の通りである。

・判断力のない人は企画力のない人である。 ……①
・論理的な思考ができない人は創造力に富む人ではない。 ……②
・企画力のない人は創造力に富む人ではない。 ……③

それぞれの命題の対偶を記号で表すと次のようになる。

企画力のある人→判断力のある人 ……①′
創造力に富む人→論理的な思考ができる人 ……②′
創造力に富む人→企画力のある人 ……③′

それぞれの選択肢を検討していくと、

× 1 論理的な思考ができる人→企画力のある人、判断力のある人→企画力のある人という対偶がない。
× 2 判断力のある人→企画力のある人という対偶がない。
○ 3 ③′→①′から、創造力に富む人→企画力のある人→判断力のある人となる。
× 4 企画力のある人→論理的な思考ができる人という対偶がない。
× 5 ①′より、企画力のある人→判断力のある人はいえるが、企画力のある人→創造力に富む人という対偶がない。

SECTION 4 一般知能 17 判断推理

過去

次の図のような交差点の道路沿いに①〜⑧の8つの区画があり、このうち6区画にはA〜Fの6棟のタワーマンションが1棟ずつ建っていて、2区画は空き地になっている。さらに次のア〜エのことがわかっているとき、確実にいえることとして最も妥当なのはどれか。

ア　Aの道路をはさんだ正面は空き地である。
イ　Bの西隣にDがある。
ウ　Bの道路をはさんだ正面にEがある。
エ　Cの道路をはさんだ正面にFがある。

北

①　②
③　④　⑤　⑥
⑦　⑧

1　AとBは隣り合っている。
2　Cは⑧の区画に建っている。
3　Eの隣の区画は空き地である。
4　EとFは道路をはさんで向かい合っている。
5　空き地の1つは⑥の区画にある。

重要度	❗❗❗	解答時間	3分	正解	5

解説 **ア～エからわかることを整理し、場合分けして考えよう。**

イ：Bの西隣にDがあるので、Bは④か⑥の区画に建っていることがわかる。

ウ：Bの道路をはさんだ正面にEがあるので、Bは④の区画に建っていることがわかる。よって、Dは④の西隣の③の区画に建っていることになり、Eは⑤か⑦の区画に建っている。

ア、エ：Aの道路をはさんだ正面は空き地、Cの道路をはさんだ正面にFがある。よって、Eが⑤の区画に建っているとすると、下の左の図のようになり、Eが⑦の区画に建っているとすると、下の右の図のようになる。

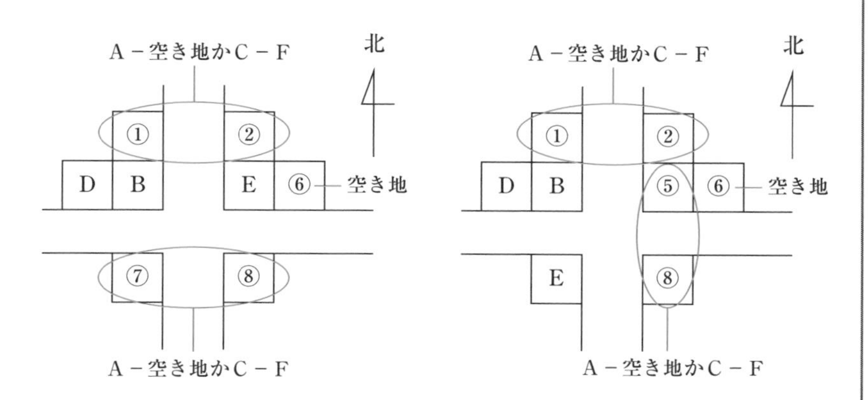

どちらの場合でもA、C、Fの建っている区画は特定できないが、⑥の区画が空き地であることは確認できる。

× **1** Aが建っている区画は特定できない。
× **2** Cが建っている区画は特定できない。
× **3** Eが建っている区画は特定できない。
× **4** EとFが建っている区画は特定できない。
○ **5** 空き地の一方がある区画は特定できないが、もう一方の空き地は⑥の区画にある。

過去

5 **A～Dの4人は、ある週の月曜日から土曜日までの6日間に、同じ会社でそれぞれ3日アルバイトをした。次のア～エのことがわかっているとき、確実にいえるものはどれか。**

ア 月曜日から土曜日の各曜日とも2人ずつアルバイトをしたが、同じ組み合わせでアルバイトをした日はなかった。

イ Aは月曜日にCと、金曜日にDと一緒にアルバイトをした。

ウ Bは火曜日にDと一緒にアルバイトをした。

エ Cは木曜日にDと一緒にアルバイトをした。

1 AとBは、水曜日に一緒にアルバイトをした。

2 BとCは、土曜日に一緒にアルバイトをした。

3 Aは、月曜日、水曜日、金曜日にアルバイトをした。

4 Bは、火曜日、水曜日、土曜日にアルバイトをした。

5 Cは、月曜日、木曜日、土曜日にアルバイトをした。

重要度	❢❢❢	解答時間	3分	正解	4

解説 **まず、イ～エをもとにして、A～Dの出勤簿をつくる。その後、水曜日と土曜日にアルバイトをした人を考える。**

イ～エをもとに、A～Dのアルバイトをした曜日を表にまとめると、次のようになる。

	月曜日	火曜日	水曜日	木曜日	金曜日	土曜日
A	○				○	
B		○				
C	○			○		
D		○		○	○	

アにより、すでに2人アルバイトが入っている日は、他の人はアルバイトをしていないので、アルバイトをしていない日を「—」で表すとすると、月曜日、火曜日、木曜日、金曜日の空欄は「—」になる。また上の表では、Bは火曜日しか○がないので、残りの水曜日と土曜日にもアルバイトしていることがわかる。さらに、Dはすでに3日アルバイトをしているので、残りは「—」になる。これをまとめると、次のようになる。

	月曜日	火曜日	水曜日	木曜日	金曜日	土曜日
A	○	—		—	○	
B	—	○	○	—	—	○
C	○	—		○	—	
D	—	○	—	○	○	—

AとCが水曜日と土曜日のどちらでアルバイトをしたかは不明である。

× **1** AとBがアルバイトをした日は水曜日か土曜日かはわからない。
× **2** BとCがアルバイトをした日は水曜日か土曜日かはわからない。
× **3** Aは月曜日と金曜日にはアルバイトをしているが、水曜日にアルバイトをしたかどうかはわからない。
○ **4** Bは、火曜日、水曜日、土曜日にアルバイトをしている。
× **5** Cは月曜日と木曜日にはアルバイトをしているが、土曜日にアルバイトをしたかどうかはわからない。

過去

6 **A～Fの6人が円形のテーブルに等間隔で座っている。A～Fは男女それぞれ3人ずつで、次のア～エのことがわかっているとき、確実にいえるものはどれか。**

ア　Ｃの両隣は男性で、正面は女性である。
イ　Ｆの両隣は女性である。
ウ　Ｄの正面はＥである。
エ　Ｂの正面はＦで、右隣はＡである。

1　Ａは男性である。
2　Ｂは男性である。
3　ＣはＥの左隣に座っている。
4　Ｄは女性である。
5　Ｅの右隣はＦである。

重要度	❗❗	解答時間	3分	正解	2

まず、向かい合っている人の位置を決め、ほかの人の位置を推定する。その後、男性か女性かを考える。

まず、**ウ**からＤとＥの位置を決める。その後、**エ**からＢ、Ｆ、Ａの位置を考えると、下の図のように２つのパターンが考えられる。

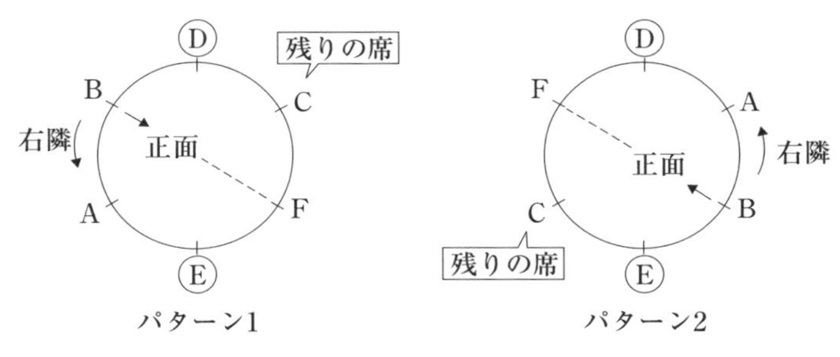

この図にさらに**ア**、**イ**から男女の区別を入れていくと、次の図のようになる。

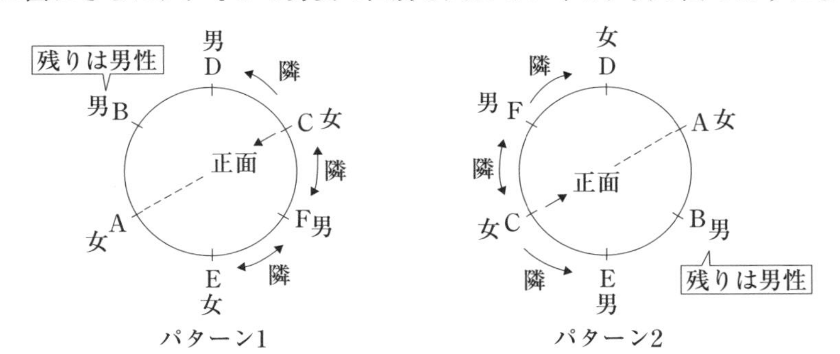

× **1** どちらのパターンでもＡは女性になる。
○ **2** どちらの場合でもＢは男性になる。
× **3** パターン２ではＥの左隣はＣとなるが、パターン１ではＥの左隣はＡとなる。
× **4** パターン２ではＤは女性であるが、パターン１では男性になる。
× **5** パターン１ではＥの右隣はＦとなるが、パターン２ではＥの右隣はＢとなる。

過去

ある議会の議員80人に、財政再建計画に関するA、B、Cの３つの案それぞれについて調査したところ、次のア～ウのことがわかった。このことから判断して、A、B、Cのいずれにも反対した議員は何人いたか。

ア　Aに賛成した議員は36人、Bに賛成した議員は44人、Cに賛成した議員は38人であった。

イ　A、B、Cの３つの案に対し、いずれも賛成した議員は12人であった。

ウ　Aのみに賛成した議員とBのみに賛成した議員とCのみに賛成した議員の合計は42人であった。

1　２人
2　３人
3　４人
4　５人
5　６人

重要度	❢❢	解答時間	3分	正解	5

解説 **問題文をベン図に表すとわかりやすい。**

問題文をベン図に表すと、下の図のようになる。

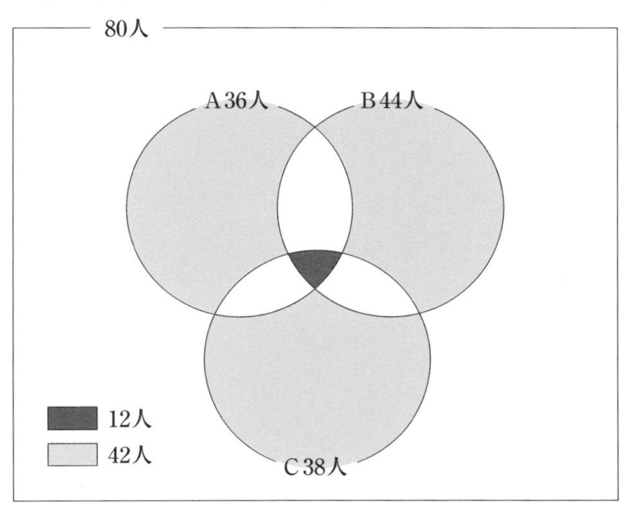

それぞれの案に賛成した議員の合計は、

36＋44＋38＝118［人］

それぞれの案に賛成した議員の合計は、１つの案だけに賛成した人数＋２つの案だけに賛成した人数×２＋３つの案に賛成した人数×３で表される。

１つの案だけに賛成した人数は42人、３つの案に賛成した人数は12人なので、次の式が成り立つ。

42＋２つの案だけに賛成した人数×２＋12×３＝118

２つの案だけに賛成した人数＝20［人］

３つの案のいずれかに賛成した人数の総数は、〈１つの案だけに賛成した人数＋２つの案だけに賛成した人数＋３つの案に賛成した人数〉となるので、

42＋20＋12＝74［人］

よって、いずれにも反対した人数は、議員の総数が80人より、

80－74＝６［人］

8 下図のような展開図のサイコロと同じサイコロができる展開図はどれか。

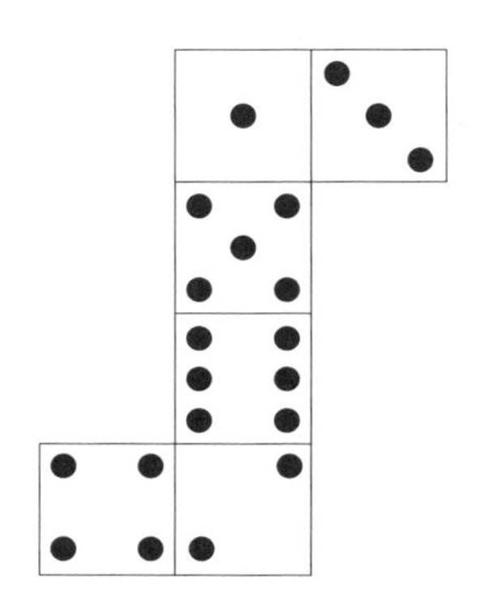

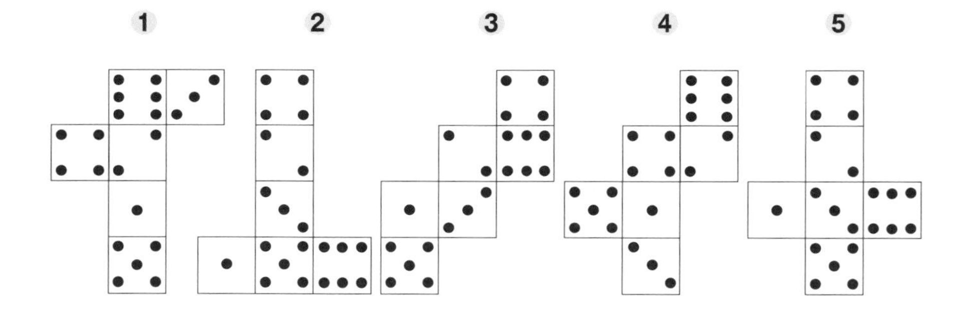

重要度		解答時間	3分	正解	2

展開図を変形して、位置によって見え方が異なる2の目、3の目、6の目の向きに注目する。

設問の展開図の3の目を2の目の横に移動させると、右の図のようになる。
選択肢の図も次のように変形する。

× 1　3の目を2の目の隣に移動すると、3の目の向きが上の図と異なることがわかる。

○ 2　6の目を2の目の隣に移動すると、上の図と同じであることがわかる。

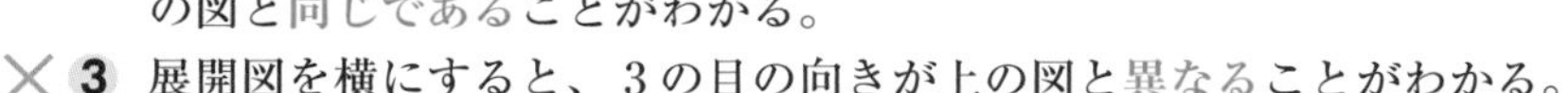

× 3　展開図を横にすると、3の目の向きが上の図と異なることがわかる。

× 4　3の目を2の目の横に移動すると、3の目の向きが上の図と異なることがわかる。

× 5　6の目を2の目の隣に移動すると、6の目の向きが上の図と異なることがわかる。

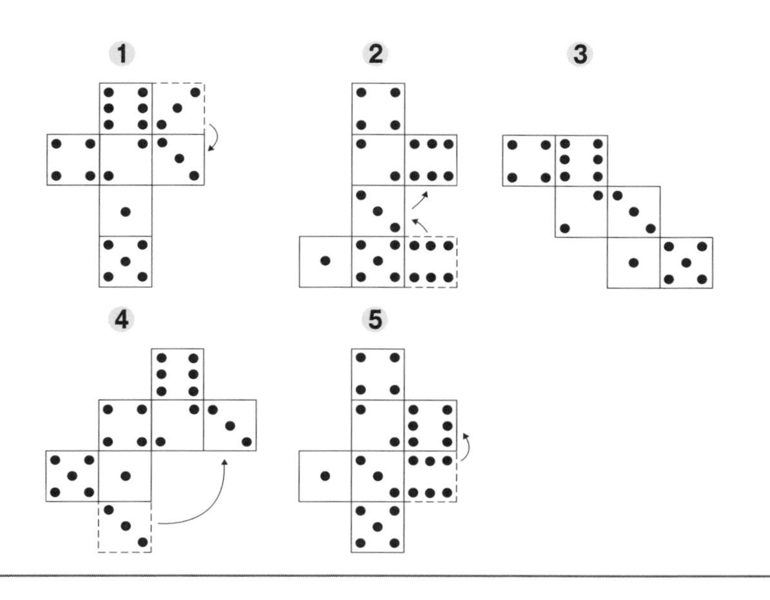

過去

9 **図1のような模様の描かれた正方形の紙がある。これを5つに切り離したところ、そのうちの4つは図2のA、B、C、Dであった。残る1つとして正しいものはどれか。**

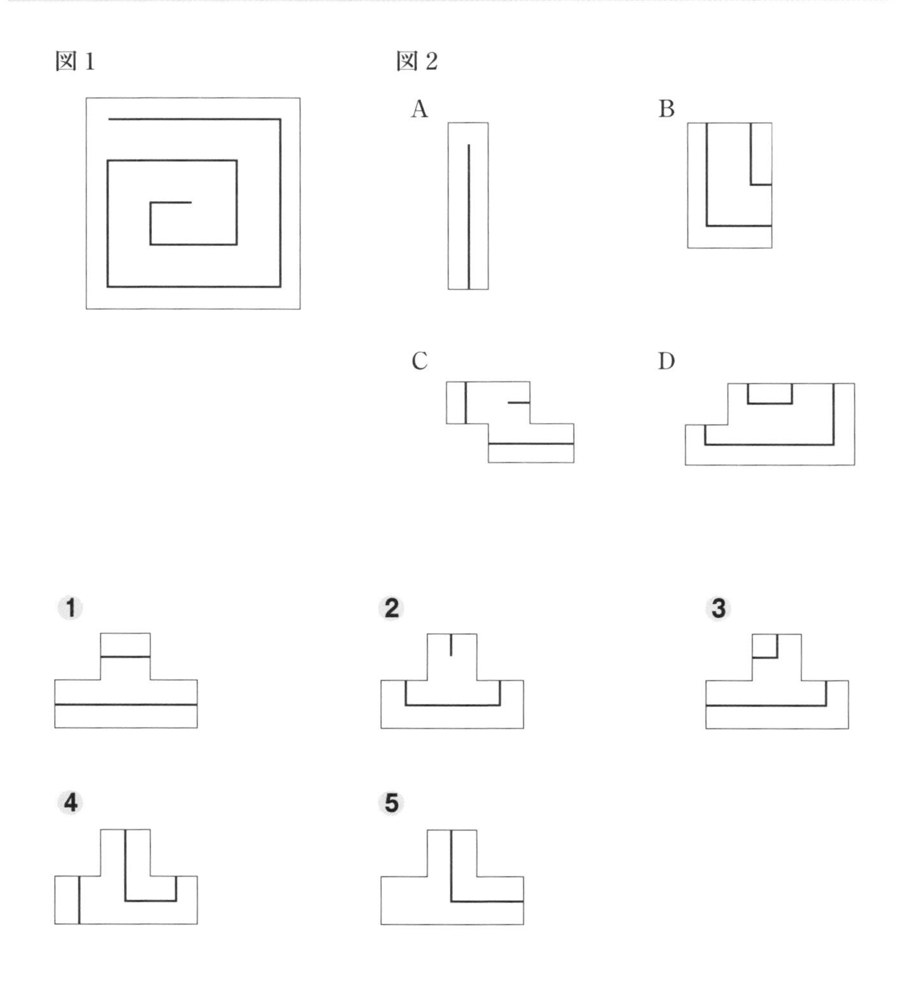

重要度		解答時間	2分30秒	正解	3

図2に与えられた切れ端は、その特徴をもとにそれぞれ図1のどの部分に当たるか考える。

図2のAの直線は上端までのびていないので、90°左に回転させると、図1の左上の部分であると考えられる。
Bの部分は、内側の直線の長さから、図1の右上か右下と考えられる。
Cの部分の上下左右を逆さまにすると、内側の短い線が図1のいちばん内側の線と考えられる。
Dを90°右に回転すると、図1の左下の部分であることがわかる。
これらを図1に描き入れてみると、下の図のようになる。

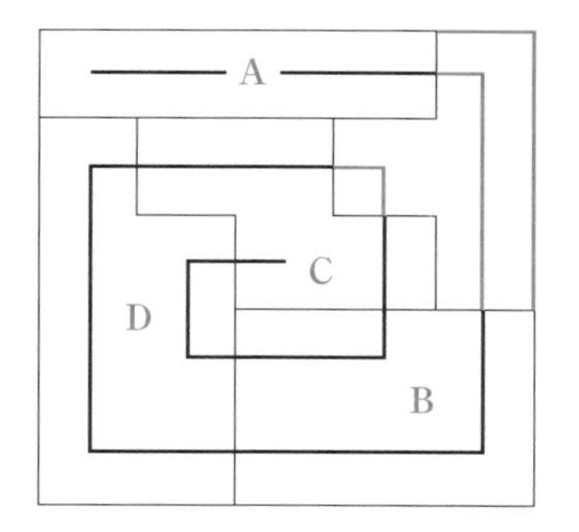

要点を整理しよう！

切り取った部分が図のどこにあてはまるかを考えよう。

⬇

描かれた直線が途切れているAとCは、向きを変えればあてはまる場所がすぐにわかる。

⬇

Dの内側のコ型の部分がCの短い直線につながることがわかる。

残りのスペースの中で、Bの入る位置を考える。

10 **図1のような紙を、cの部分を動かさないで点線に沿って図2のようにcが表にくるように折りたたんだ。折りたたんだまま全体を貫通する小さな穴をあけてから、元のように広げたとき、eの部分は図3のようになっていた。（＊は穴のあいた部分である。）**

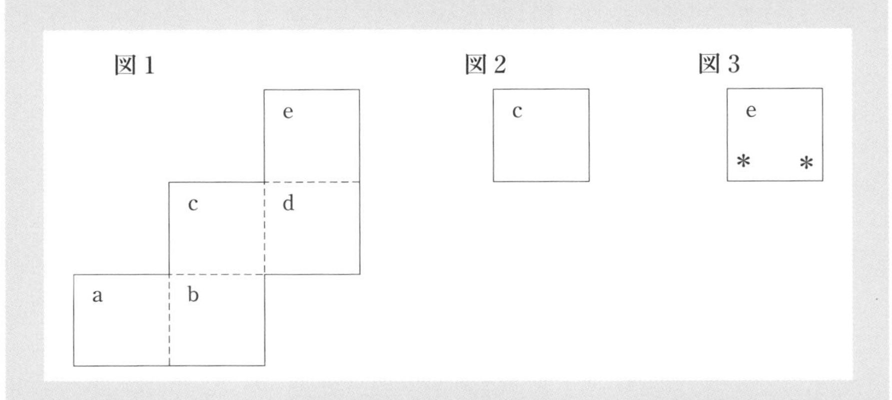

このときのaとbの部分の状態として、妥当なものはどれか。選択肢では、便宜上a、bの記号を図の下に示した。

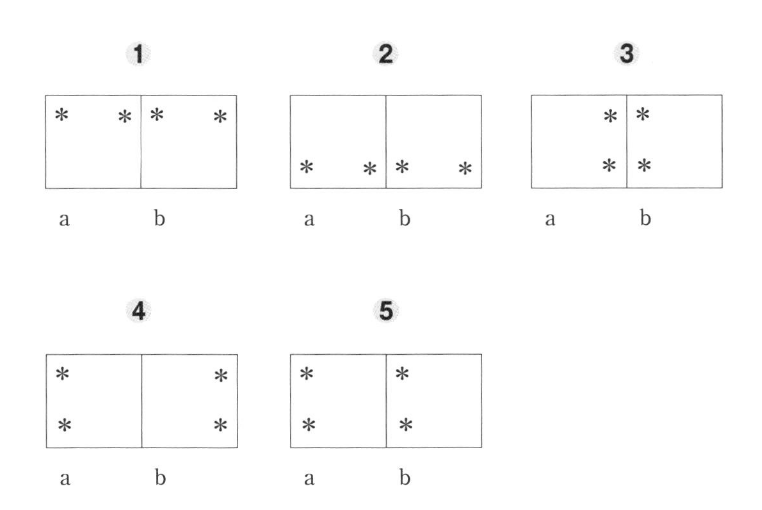

重要度	❗❗	解答時間	2分30秒	正解	2

解説 **eの穴の位置をもとに、d→c→b→aの順に穴の位置を考える。**

cがいちばん上になるような折り方は何種類かあるが、穴の位置はいずれも同じになる。
dの部分には、dとeの間の折り目を軸としてeと線対称の位置に穴があく。
cの部分には、cとdの間の折り目を軸としてdと線対称の位置に穴があく。
bの部分には、bとcの間の折り目を軸としてcと線対称の位置に穴があく。
aの部分には、aとbの間の折り目を軸としてbと線対称の位置に穴があく。
これらをまとめると、次の図のようになる。

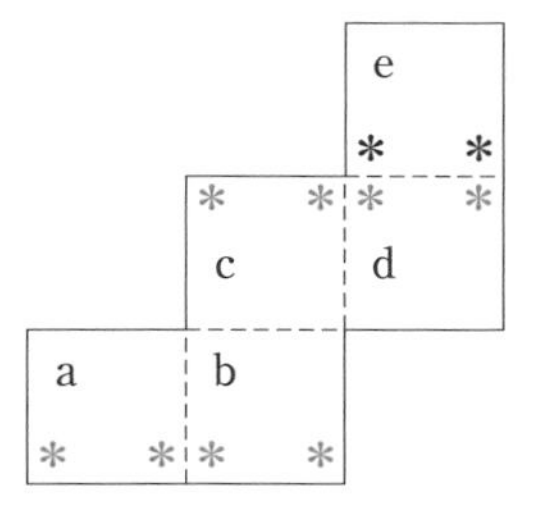

下の図のように、eから順にあいていく過程を考えても、穴の位置を知ることができる。

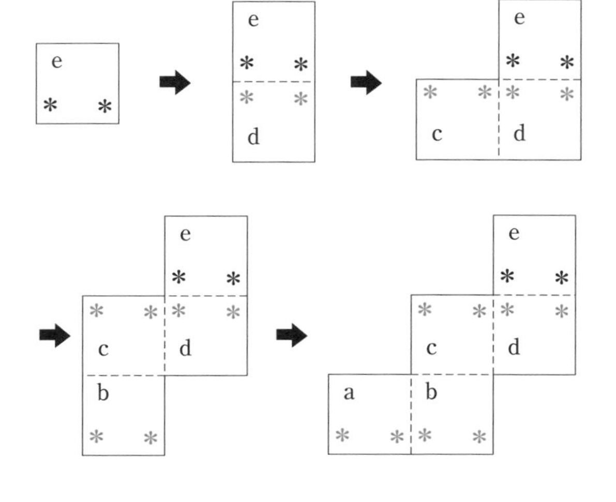

18 資料解釈

過去

1 **次の表は、学校における教育の情報化に関する調査結果をまとめたものである。この表からいえることとして、最も妥当なのはどれか。**

学校種	学校数（校）	児童生徒数（人）	教員数（人）	教育用PC台数（台）	PC総台数（台）
小学校	19,179	6,253,093	403,931	1,137,840	1,621,825
中学校	9,285	2,949,900	227,882	618,767	894,528
高等学校	3,548	2,184,477	169,550	526,616	756,880
うち専門学科・総合学科単独及び複数学科設置校	1,856	1,114,782	94,991	347,940	479,226
特別支援学校	1,084	139,381	79,718	62,079	154,136
合　計	33,219	11,587,653	886,027	2,361,187	3,449,216

※PCとは、パーソナルコンピュータをいう。
※教育用PCとは、主として教育用に利用しているコンピュータをいう。
※合計は、表中の学校種以外の数値も含む。

1　１校あたりのPC台数が最も多いのは特別支援学校である。
2　小学校のPC総台数は、他の学校種すべてのPC総台数の合計よりも多い。
3　PC総台数に対する教育用PC台数の割合が65％を超えている学校種はない。
4　高等学校全体で見ると、１校あたりのPC台数は200台を超えている。
5　児童生徒１人あたりの教育用PCの台数が最も多いのは、中学校である。

重要度	❗❗	解答時間	3分	正解	4

解説　**専門学科・総合学科単独及び複数学科設置校のデータは高等学校のデータに含まれていることに注意する。**

× **1**　1校あたりのPC台数は、次のようになる。

小学校：$\frac{1,621,825}{19,179}$≒85［台］　中学校：$\frac{894,528}{9,285}$≒96［台］

高等学校：$\frac{756,880}{3,548}$≒213［台］　特別支援学校：$\frac{154,136}{1,084}$≒142［台］

よって、1校あたりのPC台数が最も多いのは高等学校である。

× **2**　小学校のPC総台数は1,621,825台、他の学校種すべてのPC総台数は、894,528＋756,880＋154,136＝1,805,544［台］である。よって、小学校のPC総台数は、他の学校種すべてのPC総台数の合計よりも少ない。

× **3**　PC総台数に対する教育用PC台数の割合は、次のようになる。

小学校：$\frac{1,137,840}{1,621,825}$×100≒70［%］

中学校：$\frac{618,767}{894,528}$×100≒69［%］

高等学校：$\frac{526,616}{756,880}$×100≒70［%］

特別支援学校：$\frac{62,079}{154,136}$×100≒40［%］

よって、特別支援学校以外の学校種では、PC総台数に対する教育用PC台数の割合は65%を超えている。

○ **4**　**1**より、高等学校全体の1校あたりのPC台数は213台で、200台を超えている。

× **5**　児童生徒1人あたりの教育用PC台数は、次のようになる。

小学校：$\frac{1,137,840}{6,253,093}$≒0.18［台］　中学校：$\frac{618,767}{2,949,900}$≒0.21［台］

高等学校：$\frac{526,616}{2,184,477}$≒0.24［台］　特別支援学校：$\frac{62,079}{139,381}$≒0.45［台］

よって、児童生徒1人あたりの教育用PCの台数が最も多いのは、特別支援学校である。

過去

2 **次の表は、我が国における刑法犯の認知・検挙件数を示したものである。この表から読み取れるア～ウの記述の正誤の組合せとして、最も妥当なのはどれか。**

	認知件数（件）	検挙件数（件）	検挙人数（人）
平成24年	1,403,167	437,610	287,021
平成25年	1,314,140	394,121	262,486
平成26年	1,212,163	370,568	251,115
平成27年	1,098,969	357,484	239,355
平成28年	996,120	337,066	226,376
平成29年	915,042	327,081	215,003
平成30年	817,338	309,409	206,094
令和元年	748,559	294,206	192,607
令和２年	614,231	279,185	182,582
令和３年	568,104	264,485	175,041

ア　認知件数に対する検挙件数の割合は毎年増加している。
イ　認知件数の対前年減少率が最も大きいのは令和２年である。
ウ　検挙人数の対前年減少率が10％以上になったことはない。

	ア	イ	ウ
1	正	正	正
2	正	誤	正
3	誤	正	誤
4	誤	正	正
5	誤	誤	正

重要度		解答時間	5分	正解	4

解説 対前年減少率［%］＝$\dfrac{\text{前年の認知件数}-\text{今年の認知件数}}{\text{前年の認知件数}}$×100

×ア　認知件数に対する検挙件数の割合［%］＝$\dfrac{\text{検挙件数}}{\text{認知件数}}$×100をもとに計算すると、認知件数に対する検挙件数の割合は、次のようになる。

平成24年：約31%　平成25年：約30%　平成26年：約31%
平成27年：約33%　平成28年：約34%　平成29年：約36%
平成30年：約38%　令和元年：約39%　令和２年：約45%
令和３年：約47%

よって、平成25年は前年よりも減少している。前年よりも割合が減少している年度が出てきたら、それ以降は計算しなくてもかまわない。

○イ　認知件数の対前年減少率は、次のようになる。

平成25年：約６%　平成26年：約８%　平成27年：約９%
平成28年：約９%　平成29年：約８%　平成30年：約11%
令和元年：約８%　令和２年：約18%　令和３年：約８%

よって、認知件数の対前年減少率が最も大きいのは令和２年である。

○ウ　前年の検挙人数－今年の検挙人数の答えが前年の検挙人数の$\dfrac{1}{10}$未満になっているか確認する。

検挙人数の対前年減少率［%］＝$\dfrac{\text{前年の検挙人数}-\text{今年の検挙人数}}{\text{前年の検挙人数}}$×100

をもとに計算すると、検挙人数の対前年減少率は、次のようになる。

平成25年：約９%　平成26年：約４%　平成27年：約５%
平成28年：約５%　平成29年：約５%　平成30年：約４%
令和元年：約７%　令和２年：約５%　令和３年：約４%

よって、検挙人数の対前年減少率は10%以上になったことはない。

3 **次の表は、各国の青年に日本についてのイメージを質問し、得られた回答をまとめたものである。この表から正しくいえるのはどれか。**

国名	日本	韓国	アメリカ	イギリス	フランス
	回答者数（人）				
	1,090	1,002	1,011	1,012	1,039
日本についてのイメージ	回答率（%）（複数回答）				
A．すぐれた文化・芸術がある	59.2	28.3	44.0	29.2	36.4
B．経済的に豊かである	34.2	54.5	33.7	43.9	47.0
C．発展途上国への援助に積極的に取り組んでいる	26.2	5.0	9.8	4.8	8.4
D．世界の平和に貢献している	19.1	3.2	12.8	4.6	6.3
E．地球環境問題に積極的に取り組んでいる	17.7	7.6	15.2	5.6	9.6
F．よい政治がおこなわれている	1.6	10.8	16.3	11.6	14.1
G．この中にはない	12.2	13.6	4.2	4.4	13.7
H．わからない・無回答	2.0	12.3	30.5	36.0	12.2
A～Hの合計	172.2	135.2	166.5	140.1	147.7

注）回答率（%）は端数処理した近似値であり、合計は必ずしも一致しない。

1 イギリスは、「A．すぐれた文化・芸術がある」と回答した人より、「B．経済的に豊かである」と回答した人のほうが200人以上多い。

2 日本の「C．発達途上国への援助に積極的に取り組んでいる」と回答した人より、韓国の「A．すぐれた文化・芸術がある」と回答した人のほうが多い。

3 韓国の「A～Hの合計」の人数より、イギリスのそれのほうが100人以上多い。

4 日本を除く4か国でみると、A～Fのうちでは、「B．経済的に豊かである」と回答した人数の合計が最も多い。

5 日本の「F．よい政治がおこなわれている」と回答した人は、ほかの4か国のどの国と比較しても、100人以上少ない。

重要度	!!	解答時間	4分	正解	4

解説 **複数回答なので、A～Hの合計は100%を超え、その人数も回答者数を超える。**

× **1** イギリス（回答者数1,012人）では、Aと回答した人は29.2%、Bと回答した人は43.9%なので、回答した人数の違いは、

$$1,012\times\frac{43.9-29.2}{100}\fallingdotseq 149\ [人]$$

× **2** 日本（回答者数1,090人）でCと回答した人（26.2%）は、

$$1,090\times\frac{26.2}{100}\fallingdotseq 286\ [人]$$

韓国（回答者数1,002人）でAと回答した人（28.3%）は、

$$1,002\times\frac{28.3}{100}\fallingdotseq 284\ [人]$$

× **3** 韓国（回答者数1,002人）の「A～Hの合計」（135.2%）の人数は、

$$1,002\times\frac{135.2}{100}\fallingdotseq 1,355\ [人]$$

イギリス（回答者数1,012人）の「A～Hの合計」（140.1%）の人数は、

$$1,012\times\frac{140.1}{100}\fallingdotseq 1,418\ [人]$$

よって、イギリスのほうが1,418－1,355＝63［人］多い。

○ **4** アメリカではAと回答した人が最も多いが、それ以外の国はBと回答した人が最も多い。アメリカで「Aと回答した人－Bと回答した人」の人数よりも、ほかの国で「Bと回答した人－Aと回答した人」の人数のほうが多いので、Bと回答した人数の合計が最も多い。

× **5** Fと回答した人数は、

日本：$1,090\times\frac{1.6}{100}\fallingdotseq 17$［人］　韓国：$1,002\times\frac{10.8}{100}\fallingdotseq 108$［人］

アメリカ：$1,011\times\frac{16.3}{100}\fallingdotseq 165$［人］

イギリス：$1,012\times\frac{11.6}{100}\fallingdotseq 117$［人］

フランス：$1,039\times\frac{14.1}{100}\fallingdotseq 146$［人］

最も少ない韓国と比較すると、108－17＝91［人］少ない。

過去

4 **次のグラフは、住宅の所有の関係についてまとめたものである。このグラフからいえることとして、最も妥当なのはどれか。**

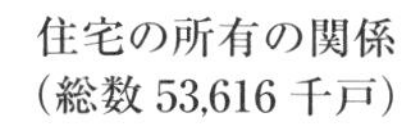

その他
3.2%
借家
35.6%
持家
61.2%

借家の構成

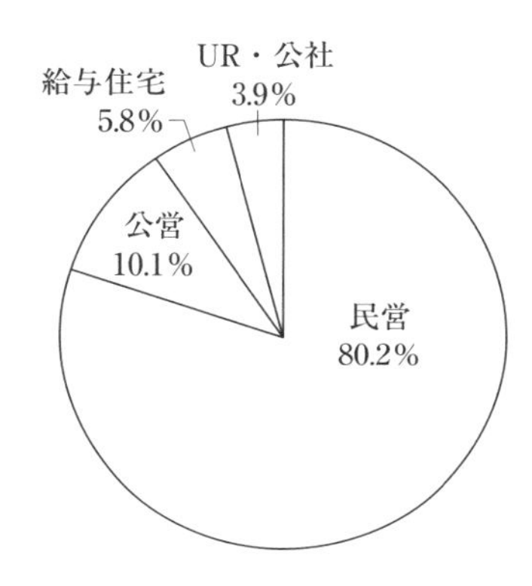

1 持家の戸数は、民営の借家の戸数の２倍より少ない。

2 公営の借家と給与住宅の借家の戸数を合わせると、持家の戸数の10%より多い。

3 その他の戸数は、公営の借家の戸数より多い。

4 持家の戸数に対して、UR・公社の借家の戸数の割合は２%より大きい。

5 持家の戸数と借家全戸の戸数の差は、民営の借家の戸数より多い。

重要度	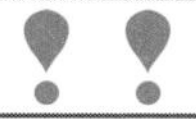	解答時間	3分	正解	4

戸数を求めなくても、住宅の総数に対する割合を考えると正誤が判断できる。

× **1** 住宅の総数に対する民営の借家の戸数の割合は、$35.6\times\frac{80.2}{100}\fallingdotseq 28.6$［%］よって、持家の戸数は、民営の借家の戸数の $\frac{61.2}{28.6}\fallingdotseq 2.1$［倍］なので、2倍より多い。

× **2** 住宅の総数に対する公営の借家と給与住宅の借家の戸数の合計が占める割合は、$35.6\times\frac{10.1+5.8}{100}\fallingdotseq 5.7$［%］ 持家の戸数の10%は$61.2\times\frac{10}{100}=6.12$［%］なので、持家の戸数の10%より少ない。

× **3** 住宅の総数に対する公営の借家の戸数の割合は、$35.6\times\frac{10.1}{100}\fallingdotseq 3.6$［%］より、その他の戸数（3.2%）は公営の借家の戸数より少ない。

○ **4** 住宅の総数に対するUR・公社の借家の戸数の割合は、$35.6\times\frac{3.9}{100}\fallingdotseq 1.4$［%］ 持家の戸数に対するUR・公社の借家の戸数の割合は$\frac{1.4}{61.2}\times 100\fallingdotseq 2.3$［%］より、2%より大きい。

× **5** 住宅の総数に対する持家の戸数と借家全戸の戸数の差が占める割合は、$61.2-35.6=25.6$［%］ 住宅の総数に対する民営の借家の戸数の割合は28.6%なので、持家の戸数と借家全戸の戸数の差は、民営の借家の戸数より少ない。

SECTION 4 一般知能 ココを押さえる

文章理解

■現代文……内容把握、短文の並べかえ、空欄補充が主なものです。
■古文………高校で学習する代表的作品の対訳は見直しておきましょう。
■英文………内容把握、空欄補充がよく出題されます。

数的処理

■特殊算（鶴亀算、流水算、仕事算、旅人算など）の解き方のテクニックをマスターしましょう。
■確率・組み合わせ・数列に関する問題も出題されます。
■図形の相似比を利用して面積を求める問題も定番です。

判断推理

■命題・対偶に関する問題は解き慣れることが一番です。
■与えられた条件から、図や表を描いて問題を解く方法をマスターしましょう。
■展開図、点の軌跡、方位・位置の問題もよく出題されます。

資料解釈

■グラフや表を的確に読み取ることが大切です。そのとき、単位や注意書きをしっかり読み込んでください。
■必要のない計算は最後までする必要はありません。時間を有効に使うことがポイントです。

国語・作文試験

漢字の読みと書きは、日本語能力の大切な基本です。
作文試験では、文章での表現能力が見られます。
何度でも繰り返し練習してください。

■国語試験 ———— 220

■作文試験 ———— 224

国語試験

■漢字の読みと書きの過去問題を抜粋
■試験時間は各25問で20分

（　）内の漢字の読みが妥当な文を（１）～（５）の中からそれぞれ１つずつ選び、記号で答えなさい。

読み方と正解

［No.1］

（１）	本の（装丁）を画家に依頼する。	そうちょう	そうてい
（２）	（抑圧）された感情を抱える。	おうあつ	よくあつ
（３）	大学が入学定員を（増加）する。	ちょうか	ぞうか
（４）	このテープは非常に（粘着）力が強い。	ねんちゃく	—
（５）	失敗を（悔）やむよりも次に進む方が大切だ。	な	く

正解（４）

［No.2］

（１）	（湿原）の保護活動をする。	しつげん	—
（２）	（朗）らかな性格で皆に好かれる。	うら	ほが
（３）	散歩中に（偶然）友人に出会った。	いぜん	ぐうぜん
（４）	（卓球）のトーナメントが行われた。	ていきゅう	たっきゅう
（５）	昔ながらの組織風土が不正の（温床）になった。	おんてい	おんしょう

正解（１）

［No.3］

（１）	起業して新事業を（企）てる。	すじだ	くわだ
（２）	祝いなんて（滅相）もない。	めっそう	—
（３）	（無罪）放免となった。	ぶざい	むざい
（４）	両者は（甲乙）をつけがたい。	こうき	こうおつ
（５）	彼女は（読書）家で、いつも本を持ち歩いている。	とうしょ	どくしょ

正解（２）

［No.4］

（１）	（閲覧）室で資料を見る。	えっけん	えつらん
（２）	十分に栄養を（摂取）する。	さくしゅ	せっしゅ
（３）	道徳意識の（欠如）は社会に悪影響を及ぼす。	けつにょ	けつじょ
（４）	音楽に聞き入り、（悦）に入った。	えつ	—
（５）	枯葉を（掃）き寄せる。	ふ	は

正解（４）

[No.5]

読み方と正解

(1)	(邪悪)な考えは捨てよ。	しょうあく	じゃあく
(2)	不老(長寿)は夢のような話だ。	ちょうき	ちょうじゅ
(3)	受験(地獄)を乗り越えて、大学に進学した。	じごく	—
(4)	(巧)みな話術で聴衆を引きこむ。	いさ	たく
(5)	山海の珍味を(満喫)する。	まんえつ	まんきつ

正解(3)

[No.6]

(1)	恵まれた(境遇)に感謝する。	けいぐう	きょうぐう
(2)	夢を追い続け、本懐を(遂)げた。	つ	と
(3)	登頂の中止は(賢明)だった。	けんみょう	けんめい
(4)	こんな失敗をするようでは(修行)が足りない。	しゅうぎょう	しゅぎょう
(5)	(覚悟)を決めて立ち上がった。	かくご	—

正解(5)

[No.7]

(1)	軍事費を大幅に(削減)する。	しょうげん	さくげん
(2)	出番まで別室に(控)える。	ひか	—
(3)	給料を(歩合)制で支払う。	ぶごう	ぶあい
(4)	(添乗)員付きの海外旅行に参加する。	せんじょう	てんじょう
(5)	(凝固)点の温度を計る。	ぎこ	ぎょうこ

正解(2)

[No.8]

(1)	雨のため遠足が(延期)になる。	えんき	—
(2)	(芝生)の手入れをする。	しせい	しばふ
(3)	彼は抵抗をあきらめ、(屈伏)した。	くつじょう	くっぷく
(4)	(実兄)なのに、彼と私の意見はよく対立する。	じってい	じっけい
(5)	(非力)を恥じ、成長しようと努力した。	はいりょく	ひりき

正解(1)

設問の（　　）内の語句に相当する漢字を含む文を、次の（1）～（5）の中からそれぞれ1つずつ選び、記号で答えなさい。

		書き方と正解
［No.1］	（ホウシュウ）はスキルに応じて異なる。	報酬
（1）	この映画の（ホウダイ）は内容とイメージが違う。	邦題
（2）	この市場はすでに（ホウワ）状態だ。	飽和
（3）	手術の後、（カイホウ）に向かっている。	快方
（4）	地震発生のニュース（ソクホウ）が流れる。	速報
（5）	（ホウケン）制度が崩壊した。	封建
		正解（4）
［No.2］	（キセイ）事実をつくる。	既成
（1）	（カイキ）月食を観察する。	皆既
（2）	彼は勇敢にも（タンキ）で冒険に出た。	単騎
（3）	祖母の三（カイキ）に家族が集まった。	回忌
（4）	彼女は新しいプロジェクトを（ホッキ）した。	発起
（5）	この（キセイ）植物は他の植物から栄養を奪う。	寄生
		正解（1）
［No.3］	（ヒシ）が肌を守っている。	皮脂
（1）	公共のスポーツ（シセツ）をたてる。	施設
（2）	日焼け止めクリームで（シガイセン）から肌を守る。	紫外線
（3）	（ツイシ）に合格すれば、進級できる。	追試
（4）	肉の（シボウ）を取り除いて調理する。	脂肪
（5）	有名な芸術家と（シテイ）関係を結んだ。	師弟
		正解（4）
［No.4］	「名誉教授」の（ショウゴウ）を持っている。	称号
（1）	大会で優勝し、（ショウジョウ）を受け取った。	賞状
（2）	専門家たちは（ケイショウ）を鳴らした。	警鐘
（3）	意見が（ショウトツ）する。	衝突
（4）	この小説の（ジョショウ）で物語の舞台を紹介している。	序章
（5）	彼の髪型は左右（タイショウ）で整っている。	対称
		正解（5）

書き方と正解

［No.5］　彼は私の言葉を（カンチガ）いして怒った。　勘違
（1）　彼女は（カンミ）を好み、お団子をよく食べる。　甘味
（2）　（ヤマカン）で答えたら当たった。　山勘
（3）　この（ズカン）には植物のイラストが載っている。　図鑑
（4）　（カンパイ）の音頭をとる。　乾杯
（5）　“the”は特定のものを指すために使われる（カンシ）だ。　冠詞
正解（2）

［No.6］　会議は午後３時に（シュウリョウ）した。　終了
（1）　彼女は小説を一晩で（ドクリョウ）した。　読了
（2）　（スイリョウ）でものを言う。　推量
（3）　道の（リョウガワ）に広がる。　両側
（4）　古い屋敷に（アクリョウ）が出るという噂がある。　悪霊
（5）　（リョウケン）は森の中でウサギを追いかけた。　猟犬
正解（1）

［No.7］　私は旅行前には（シュウトウ）な計画を立てる。　周到
（1）　食卓には美しい（トウジキ）の皿が並んでいた。　陶磁器
（2）　新しい部署に優秀な社員を（トウニュウ）する。　投入
（3）　今からでは（トウテイ）間に合わない。　到底
（4）　彼は（ミトウ）の地に足をふみ入れた。　未踏
（5）　学生たちは（トウロン）大会で意見を交換した。　討論
正解（3）

［No.8］　中間発表では白組が（ユウセイ）だ。　優勢
（1）　（ユウク）に満ちた一生を送る。　憂苦
（2）　彼の（ユウシ）を目に焼き付ける。　勇姿
（3）　（ユウボク）生活をする。　遊牧
（4）　彼女は（ガクユウ）の勧めで料理を始めた。　学友
（5）　彼らの技術は（ユウレツ）をつけがたい。　優劣
正解（5）

作文試験

■字数はおおむね600～1000字
■試験時間は60～90分です

作文試験の目的

教養試験では測ることのできない、受験者の内面的な資質を探ろうとするのが「作文試験」です。これから就く「警察官」という**仕事に対しての抱負や、社会人としての心構え**がどのようなものかを見ようとしているのです。

書き始める前に自己分析

作文試験に臨む前に、自分のことを見つめ直してください。以下のことを明確にしてから書き始めるようにしましょう。

★自分の長所と短所は何か
★印象に残ったできごとを挙げてみる
★なぜ「警察官」という仕事を選んだのか
★将来の夢は何か

書き方のテクニック

■課題傾向を研究する

試験問題を公表している都道府県の問題を入手したり、過去の傾向をチェックしたりして、出題課題の傾向を探ってみましょう。**仕事に対する意欲や決意、社会に対する姿勢などを見る課題**が多く出題されています。

■書き方の手順を覚える

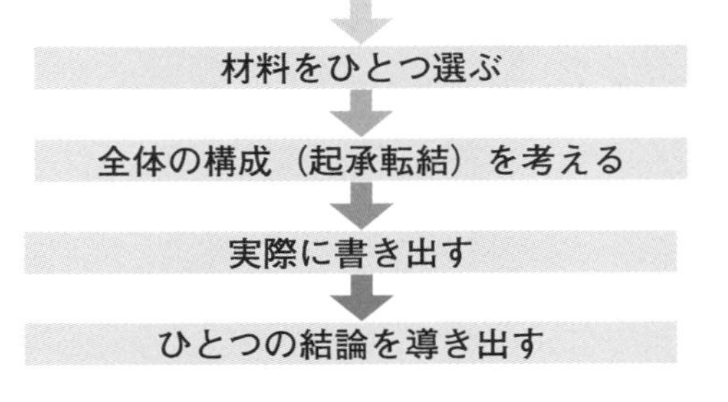

■段落の構成を復習する

「起承転結」の段落構成とは何かを復習しましょう。

起 ▶ 課題に対しての自分なりの問いや導入的なことがら

↓

承 ▶ 自分の意見を示す

↓

転 ▶ 「承」を裏付ける体験談や具体的なできごと

↓

結 ▶ 意見や結論、問いに対する答え

忘れてはいけない注意事項

●時間配分を考える

段落構成に使う時間は全体の**4分の1程度**です。構成をきちんと考えてから書き始めることが大切なポイントになります。**見直しの時間は5分から10分くらい**しか残らないと考えておくほうがよいでしょう。

●字数制限を守る

「1000字程度」という文字数を与えられたのでしたら、900～1000字の範囲で仕上げるようにします。このように、与えられた文字数の**10パーセント減**までは許容範囲です。**字数オーバーは避けてください**。

実際に書いてみよう！

★p 226～p 229の答案例とアドバイスをよく読んでください。
次に過去1と過去2の課題に対して、自分でも作文を書いてみましょう。
「書き込みスペース」の原稿用紙をコピーして使ってください。
また、自分なりに課題を設定して書く練習を積み重ねましょう。

あなたが志望するに至った「警察官の魅力」について具体的に述べた後、警察官として仕事をしていく決意に及びなさい。

（字数：1000字　時間：80分）

答案例（908字）

私が警察官を志望するきっかけになったのは、中学時代に我が家に泥棒が入ったことである。❶

期末試験の前だったので早めに帰宅したら、母はまだパートの仕事から帰っていなかった。玄関の戸を開けると、廊下に泥靴の足跡があるのでびっくりして家を飛び出した。まだ家の中のどこかに泥棒が隠れているのではないかと思って怖かったからである。隣の家に行って、おじさんに110番してもらったら、十分ほどで近くの交番の警察官と私服の刑事❷が来た。とても不安で泣き出してしまいそうなくらいだったので、顔見知りの警察官がすぐに来てくれてほっとした。

一緒に家の中に入ると、タンスの引き出しがみんな開いていて、衣類などが散らばっていた。刑事は、私が帰ってきた時に玄関のカギはかかっていたか、足跡に気付いたのは何時ごろだったのか聞いて、現場の写真を撮った。そして、足跡のサイズを測ったり、泥棒が触ったと思われる場所に白い粉を振りかけたりした。

やがて、母、姉、父が帰ってくると、家族全員が指紋を取られた。なぜ我々の指紋まで取るのか、警察官に聞いたら、家の中にある指紋のうち、家族の指紋と泥棒の指紋を区別するためだという。❸足跡の写真も、靴底の模様でメーカーが分かるので、犯人を割り出す手がかりになると教えてくれた。

私は犯罪捜査がこのように、不要なものを排除していって、可能性の高いものに絞っていくという合理的な方法を取ることに興味を引かれた。推理小説で読んだことはあったが、実際に見て、科学捜査とはこういうものだと思った。❹

一週間後、泥靴の足跡が決め手になって、犯人がつかまった。それを聞いて、いつか私も警察官になって、こういう合理的な捜査によって犯人を絞りこんでいきたいと思った。❺

そこで、高校のクラブ活動では化学部を選んだ。化学部では正体の分からない粉末や液体を、いろいろな試薬やリトマス試験紙などを使って、それが何であるかを探っていく。こういう経験が、自分が警察官になったら捜査の時に役に立つと考えたからだ。❻そして、ただ犯罪を捜査するだけでなく、あの時、私がいつも見かけていた警察官の顔を見てほっとしたように、住民に安心感を与える警察官になりたいと考えている。❼

❶起承転結と内容の配分を考えよう

警察官を志望するきっかけに早めに触れないと字数が足りなくなるので、単刀直入に書き始めること。どういうことから話を起こし、どう展開させ、どういう内容でまとめるか、**指定された用紙等にメモしてみると、まとめやすくなる**。自分の考えを述べるだけでは抽象的であまり個性の感じられない作文になってしまうので、**実際の体験に基づいて話を展開させる**とよい。

❷警察官について調べておこう

一口に警察官といっても、交番勤務などの制服を着た警察官と、私服の刑事がいる。また、刑事事件を担当する警察官のほかに、交通問題を担当する警察官もいる。交番勤務の警察官は犯罪の予防検挙だけでなく、交通指導取り締まりなども担当する。

❸内容を具体的に書こう

実際に警察官の仕事を間近に見たときの**内容を具体的に書くことで警察官の仕事に関心をもっていることが伝わり**、なぜ警察官を志望したのかという動機につなげやすくなる。泥棒が入ったということが「**起**」で、警察官が来て捜査を始めたことが「**承**」にあたる。

❹❺❼課題に応える内容になっているか、確認しよう

課題は「警察官の魅力」を具体的に述べることなので、自分がここに魅力を感じたということが読み手に伝わるように❹のように明確に書くことが必要。ここが「**転**」。さらに、「警察官として仕事をしていく決意」として❺❼がきちんと書かれている。ここが「**結**」となる。

❻意欲的な姿勢を示す

単に警察官を目指すだけでなく、クラブ活動も警察の仕事に生かせるものを選んでいることなどを書くと、積極性が感じられる作文になる。

❽条件をクリアする

字数が1000字なので、少なくとも**900字**は書くことが必要。

警察官として働くことに対する不安と期待に触れて、目指す警察官像について述べなさい。　**（字数：1000字　時間：80分）**

答案例 (917字)

正月恒例の駅伝で、選手たちを先導する白バイ隊員を憧れの目で見たのは、かなり幼い日のことだった気がする。❶高校時代には陸上部でマラソンを通して、体力と精神力を養うことに挑戦し、県大会出場を果たすことができた。このような時を経て、警察官になりたいという思いが強くなっていった。

高校２年生の春、通学途中のバスで事故にあった。後ろを走っていた乗用車に追突されたのだ。乗用車の運転手がブレーキとアクセルを踏み間違えたことによる事故だった。そのときの衝撃で、軽度ではあったがむち打ち症になった。自分が交通事故に巻き込まれたことにショックを受けた。現在は、身体は完全に回復したが、自分自身もより気をつけて交通ルールを守っていこうと思っている。交通事故は誰もが遭遇する可能性があることを経験した。

交通に関する懸案事項はたくさんある。都市部における車の渋滞と幹線道路の問題。また、地方では車は生活になくてはならないものだが、高齢者の運転も社会問題となっている。❷事故をなくし、便利なものを上手に使って、よりよい暮らしの手助けができればうれしい。交通の問題をはじめとして、地域の住民を守る仕事に大きな興味をもっている。少子高齢化の社会だからこそ、子どもや高齢者を見守る新しい仕組み作りが待たれている。

警察官の仕事はどのような任務についても命と向き合う現場であり、一瞬の判断が成否を分ける。自分にそんなことができるのだろうか。勤務時間も一般の会社員とは違う場合がある。身体の自己管理や強い精神力を保つことはできるのだろうか。不安な気持ちもあるが、未知の世界へチャレンジしたいという意欲が高まっている。❸

地域に根差して、住民を守るという仕事には人とのコミュニケーションが何よりも必要なのだと思う。❹人と人との日ごろからのつながりがいざというときに役立つ。私がすぐにできることもこのコミュニケーション力を高めることだ。毎日の生活の中で、学校や家族、近隣の人とのつながりを深めていきたい。まずは、朝の登校の時の挨拶から始めることにしよう。❺あまり話をしたことのない、隣のおじさんに「おはようございます」と声掛けするのは少し気恥ずかしいが、一歩を踏み出してみることに決めた。

アドバイス

❶幼い日のことより中学・高校生時代の経験を語る
自分の経験を語るとき、あまりに幼いときよりも**中学、高校時代に経験したこと、感じたこと**を述べる。この場合は、幼い日のことから高校時代の部活に話が及んでいるので、大丈夫である。

❷時事的要素を入れると印象深い
時事的要素を入れると、**勉強していることや社会に興味をもっていることをアピールできる**。「車の渋滞と幹線道路の問題」はもう少し具体的に述べられているとなおよかった。また、スペースがあれば「高齢者の運転」についての自分の意見を示すこともしたい。文章の段落構成がしっかりできていることが条件になるが、時事的要素を入れることができれば、ワンランクアップした作文となる。

❸マイナス思考は長々と述べない
この場合は、「不安と期待」というテーマが与えられているので、自分の思う不安なことを述べるのはいいが、長々と書き連ねない。ここで、**不安な気持ちからチャレンジの気持ちへと移行**できているのは好印象だ。

❹最終段落ではっきりと目指すものを提示
「コミュニケーション力」の大切さがしっかりと書かれている。最終段落での**「思う」の多用は避けよう**。決意表明が希薄な感じになってしまう。地域の住民を守るための具体的な手段をしっかり書き込もう。

❺今努力していることを示す
「目指す警察官像」に近づくために具体的に努力していることを表す。身近な些細なことでも、勉強し始めたことでもよい。ここでの身近な「朝の挨拶」のようなことでも、具体的で印象深い。**最後に前向きな文章で締めくくる**ことが大切である。

書き込みスペース

●原稿用紙はコピーして使ってください。

（17字詰）

100

200

300

400

500

600

700

800

900

1000

本文デザイン　たじまはる
編集協力　　　㈱稲穂堂・㈲ウィッチハウス・下村良枝
　　　　　　　林茂夫・平野誠子・オフィス エル
表紙デザイン・イラスト　ふるやデザイン・ルーム

本書に関する正誤等の最新情報は、下記の URL をご覧ください。
https://www.seibidoshuppan.co.jp/support/

上記アドレスに掲載されていない箇所で、正誤についてお気づきの場合は、書名・発行日・質問事項（ページ・問題番号など）・氏名・郵便番号・住所・FAX番号を明記の上、**郵送**または**FAX**で、**成美堂出版**までお問い合わせください。

※電話でのお問い合わせはお受けできません。

※本書の正誤に関するご質問以外はお受けできません。また受験指導などは行っておりません。

※ご質問の到着確認後10日前後に、回答を普通郵便またはFAXで発送いたします。

※ご質問の受付期限は、2025年10月末までに実施の各試験日の10日前必着といたします。ご了承ください。

警察官Ⅲ類・B過去問題集　'26年版
2024年11月10日発行
編　著　成美堂出版編集部
発行者　深見公子
発行所　成美堂出版
　〒162-8445　東京都新宿区新小川町1-7
　電話(03)5206-8151　FAX(03)5206-8159
印　刷　大盛印刷株式会社

ISBN978-4-415-23893-7
落丁・乱丁などの不良本はお取り替えします
定価は表紙に表示してあります